U0789685

集韻

六

集韻
六

五福五代堂古稀天子寶

八徵耄念之寶

太上皇帝之寶

集韻卷之六

翰林學士兼侍讀學士朝請大夫尚書吏部郎中知制誥判太常寺兼禮儀院事群牧使上柱國濟陽郡開國侯食邑二千二百戶賜紫金魚袋臣丁度等奉

敕脩定

上聲下

銑第二十七 穌典切 與獮通　獮第二十八 息淺切

篠第二十九 先了切 與小通　小第三十 思兆切

巧第三十一 苦絞切 獨用　晧第三十二 下老切 獨用

哿第三十三 賈我切 與果通　果第三十四 古火切

馬第三十五 毋下切 獨用　養第三十六 以兩切 與蕩通

蕩第三十七 待朗切　梗第三十八 古杏切 與耿靜通

耿第三十九 古幸切　靜第四十 疾郢切

迥第四十一 戶茗切 獨用　拯第四十二 蒸之上聲 與等通

等第四十三 得肯切　有第四十四 云九切 與厚黝通

厚第四十五 很口切　黝第四十六 於糾切

寑第四十七 七稔切 獨用　感第四十八 古禫切 與敢通

敢第四十九 古覽切　琰第五十 以冉切 與忝儼通

忝第五十一 他點切　儼第五十二 魚檢切

豏第五十三 下斬切 與檻范通　檻第五十四 戶黤切

范第五十五 父鋄切

二十七○銑 穌典切說文金之澤者一曰小鑿一曰鐘兩角謂之銑文十九 洗 說文洒足也一曰潔也通作洒 烍 火氣也

挄挄挄手捻物筅筅飯帚或从先跣說文足親地也毨⿰先隹理也說文仲秋鳥獸毛盛可選取以爲器用或作⿰先隹姺
⿰先阝國名或从邑⿰木先木名爾雅⿰木先大棗出河東猗氏縣子如雞卵莌艸名銑魚名洒肅恭皃禮一爵而色洒如⿱竹⿰⿰金冊刂竹器
博雅⿱竹⿰犭肖謂之⿱竹⿰⿰金冊刂⿱洗金闕人名唐有竇維⿱洗金燹野火⿰缶巂小缶○扁補典切說文署也从戶冊戶冊者署門戶之文也一曰不圓皃亦姓文十
六匾器之薄者一曰匾㮯編綻也緶⿰糸匾褰衣或从匾萹⿱艹遍艸名說文萹茿也或作⿱艹遍稨藊⿰禾遍
豆名或作藊稨⿰豆卑⿰豆卑惼慪惼性狹碥乘石皃通作扁糄燒稻取米曰糄扁卑扁虎薄皃或从卑○覑匹典
切視皃文二萹萹茿艸名○辮婢典切說文交也文十六辡旋流鯿⿰革扁博雅緻謂之⿰革扁一曰履底或从𦬆艑艑艖
舟也編紐也⿰鹵扁鹽⿰鹵扁鹽也⿸疒扁風病⿰骨扁骨⿰骨扁生⿰扁鳥姓也古有扁鵲或作鶣⿰扁毛⿰扁毛毿毛不理⿰缶鶣小缶
一曰紡錘揙搏也牑牀簀⿰月扁脉隱起如辮繩○丏弥殄切說文不見也象壅蔽之形文十眄目偏合也一曰邪視搷
博雅搷培封塗也矊目童子黑⿰目⿱宀方目旁薄緻宀宀也芇相當也⿱艹丐艸名⿰氵⿰丏丏湎澠水皃眠楚謂欺爲眠娗一曰偄劣
⿰扌⿱艹㒼飾也○忏七典切怒也文一○典⿱竹典多殄切說文五帝之書也从冊在丌上尊閣之也莊都說典大冊也一曰常也古从竹文
九敟說文主也通作典蕇艸名說文亭歷也琠說文玉也⿰典頁說文頰後也錪釜也婰女名⿱典黑黑也○腆
⿱朕典⿱𦬆典他典切說文設膳腆腆多也或作⿱朕典⿱𦬆典或書作費文三十六娗欺慢也一曰偄劣⿰虫敟⿰虫敟螞蟲名青蚨也飻貪也
奵婝奵好皃紾垂絕皃⿰阝典⿰阝典華藥艸捵手伸物也賟當也⿰目典明也琠瑱⿰王殄玉也或从貞从殄
錪說文朝鮮謂釜曰錪一曰重也覥⿰面旦⿰面亶⿰革亶說文面見也引詩有靦面目或作⿰面旦⿰面亶⿰革亶⿰忄典⿰目典說文青徐謂慙曰⿰忄典
或作腆⿰足典⿰足亶行皃或从亶⿰口典吐也痶痶瘓病也淟博雅淟涊垢濁也倎⿰土典厚也或从土通作腆町
圢疃墥町疃鹿跡一曰餰田人衆皃或作圢疃墥蚕蟲名蜸蟺也⿰言忝⿰言忝譾言不定悿悿懘心惑○殄
⿰歹眞[illegible]徒典切說文盡也或作⿰歹眞古作[illegible]文十五餮飻貪食爲餮或省蜓⿰虫㐱蟲名說文蝘蜓也一曰蛭蚞蟬類或从㐱沴陵亂也莊子陰陽之氣有
沴徐邈說瘨病也詩瘨我以旱抮偝也娗眠娗不開通皃○撚捵乃殄切說文執也一曰蹂也或从典文八蹨跈
⿰典黑⿰黑雚⿰典黑⿰黑雚劣皃跈止也典傾典堅刃皃一曰車輮束紾角理輴也周禮老牛之角紾而昔一曰垂絕皃
趁蹈也逐也或作跈趁涊淟涊垢濁抮廣雅偝也⿰面然靦⿰面然少色○櫶子殄切博雅盞櫶盂也文一○顯㬎

呼典切說文頭明飾也一曰著也光也亦姓古作㬎文十四 韅顯䪥 說文著腋鞥也一曰在背曰韅或从顯 蜆䘆 小蛤或从顯

㔵鑶 削也或从金 捵𢸙 偝也或作𢸙 憲 興盛皃詩憲憲令德 晛 日見也 灦 灦涀水皃 㦘 意難也

○㹞 牽典切不動也文七 豤 齧也 𪗲 齧齒露皃 𦁎緊 博雅緅也或作緊 蜸 蟲名螼蜸也 掔 說文牛很不从牽也一曰大皃

○繭䌬絸 吉典切說文蠶衣也从糸从虫芇聲或作䌬古作絸俗作璽非是文二十五 𦺟 艸名紫綦也

涀 小溝 鳽 鳽鵁鳥名子鵁也 襺 說文袍衣也以絮曰襺以縕曰袍 挸撊 博雅拭也或作撊 𪒠 黑皺也 趼

皵 胝也一曰足指約中斷傷爲趼或作皵 𥠅𥻬䅊稉 說文小束也或作𥻬䅊稉 垷 塗也 笕

梘 通水器或从木 豣 獸名爾雅麕絕有力者豣 䪠 頰後 𧄼 艸名蔮也 𣜭 棧也 硯 石濡 ○現峴 胡典切山名一曰山小而險一曰嶺上平或作峴文二十一

垷 說文塗也 𢤧 𢤧𢤧意難也 俔 譬喻也一曰罄也 誢 諍語 哯𠳿 說文不歐而吐或从幵

晛 日氣一曰明皃 睍 說文出目也一曰好視 筧 竹名 臔 博雅臔臔肥也一曰肉急 𪒠 黑皺也

䌳 綴也 蜆 蟲名說文縊女也 鋧 銑鋧小鑿也 𨸶 限也 㜸 細要也 現 石之次玉者 礥 堅也 娊 女字

長沙陳昇

○蝘𧍝𧍝 於殄切蟲名說文在壁曰蝘蜓在艸曰蜥易或从䖵文十五 躽 曲身也 𣢴 大呼用力也 䁙𥇃 說文目相戲也引詩䁙婉之求一曰仰視或作𥇃

嬿 嬿婉安順皃 醼 合飲也 宴燕 爾雅宴宴居息也或作燕 酀 闕人名春秋傳有敬仲曾孫酀

愝 愝惼性狹 𨃅 行跡 晏 安也 偃 仰也 ○𪘏 研峴切說文張口齒皃文一 ○犬 苦泫切說文狗之有縣蹏

者也象形孔子曰視犬之字如畫狗也文二 畎 畎戎西戎之種通作犬 ○旋 信犬切鍾縣謂之旋李軌說文一 ○蜎 於泫切井中小

蟲文二 𩚩 飫也 ○く甽畎 古泫切說文水小流也周禮匠人爲溝洫耜廣五寸二耜爲耦一耦之伐廣尺深尺謂之く倍く謂之遂

倍遂曰溝倍溝曰洫倍洫曰巜古从田川篆从田犬聲六畎爲一畝文十六 汱 水落皃 狷獧 有所不爲也或作獧 埍 說文徒隸所居一曰

女牢一曰亭部 詃 誘也詐也 罥羂䍲羂 挂也或作羂䍲羂 擐 繫也 琄 玉皃 𤃩 淖耕也 呟 聲也

○泫 胡犬切說文湝流也上黨有泫氏縣文二十八 汱 水落皃 鉉 說文舉鼎也易謂之鉉禮謂之鼏 琄 珮玉皃通作鞙 𨳿 說文試力

士錘也 罥絹 挂也或作絹 鞙𩊠 大車縛軛靼也或从玄 𨍭𩊽鞙 車弓也或从革从肙 繯 說文

絡也 埍 徒隸所居一曰女牢一曰亭部 𨹐 博雅坑也 𥌚 說文盧童子也 𩡧 馬一歲 𧴯 僨也 旬 目搖 炫 說文

皃引詩檀車幝幝 縒説文偏緩也 繟説文帶緩也 嘽單聲緩也或省 譂安言 燀説文炊也引春秋傳
燀之以薪 驒廣雅驂驒黄也 瀾水名爾雅汶為瀾 僤⿰阝單地名在魯或作僤通作闡 墠寛也老子墠然而善謀河上公讀通作繟
鏟博雅籤謂之鏟 憚慢傷也 奲寛大也 ○⿰耳善旨善切耳門也文二十七 ⿰目亶⿰目善説文視而止也或从善
⿰善頁説文倨視人也 嫸説文好枝格人語也一曰靳也 ⿰我戔⿰我戔⿰我戔武也 ⿰金亶⿰亶刂説文伐擊也或从刀 剶博雅剶攻揭也 ⿰身亶
儃倮也或从人 顫首動皃 皽博雅皽嫚皮寛也 檀束也 樿説文木也可以為櫛杓 橏木名一曰木瘤也
燀炊也 饘⿴行食糜也或作餰 襢露也 戩爾雅福也 ⿰酉亶酒苦謂之⿰酉亶 醆括也 撣排急也 僐作姿
也 戔賊也周書戔戔巧言 ⿰扌善引也 ○譱⿰言善善嬗上演切説文吉也或省隸作善亦作嬗文二十五 膳説文
具食也 ⿰亻譱僐説文作姿也或作僐 單單父縣名亦姓 墠壇説文野土也一曰除地祭處或作壇 墡⿰石善白土也或
从石 鄯鄯善西胡國名 ⿺麥善⿺麥善⿺麥善新麥為餌 鱓鱣䱇説文魚名皮可為鼓一曰蛇鱓黄質黒文或作鱣䱇 紾牛角理物
潬澶浣潬水相薄也或作澶 僤行動皃漢書象輿婉僤顔師古説 蟺蟮蟲名説文蚯蟺也或作蟮蟺一曰土蠭 樿

木名山海經風雨之山其木多椈樿白理中櫛 鱔魚名 ○蹨忍善切践也文十二 㞋⿸虍需⿸虍耎説文柔皮也或作⿸虍需⿸虍耎 ⿰亻然
㦡説文意膬也一曰意急而懼或从心 戁懼也 熯説文乾皃引詩我孔熯矣 嫨敬也通作戁 橪木名説文酸小棗一曰染也
齗廣雅笑也 ⿰女然姿也亦姓 ○舛踳尺兗切説文對卧也从夕牛相背楊雄説舛从足春一曰錯亂文十 喘歂説文疾息
也或从欠 荈茶晚取者名荈 ⿱竹舛竹以貫物 揣⿰耑攴博雅度也或从攴 ⿰虫耑蠉⿰虫耑動蟲一曰無足蟲 腨腓也 ○膞
主兗切説文切肉也文十二 𩠐剸説文截也或作剸 剬説文斷齊也 竱説文等也春秋國語竱本肇末 孨説文謹也从三
子一曰孤孼可矜謂之孨 𨵦説文開閉門利也一曰縷十紘 圌因刑固出 ⿰山耑⿸厂專説文小危也或从專 鱄説文魚也 轉
無窮也太玄軫轉其道王涯説 ○腨⿰足專豎兗切説文腓腸也或作⿰足專文十九 踹足踵也 膞腄切肉或省 歂口氣引也
⿸广專説文上小厄有耳蓋者 鄟⿰阝專地名屬魯或从𨸏 鱄魚名 輲輇槫團載柩車也或作輇槫團
⿱艹⿱死貝艸名無魚也凡水有此艸則無魚 漙⿱雨專露皃或从雨 剬斷齊也 吮舐也 ○耎乳兗切説文稍前大也文
三十八 輭⿰車耎軟需濡柔也或从耎从欠亦作需濡通作耎 ⿱𣥠兗⿱𣥠⿱兗兗⿰竟兒⿰土叏⿱⺈兒⿸尸叏説文

柔韋也从北从皮省从夐省徐鉉曰北者反覆柔治之也夐營也或作甏𦾧古作𠬝籒作𡰪 腝足疾 媆説文好皃 愞懦偄
㒹選愞劣弱也或作懦偄㒹 緛𧝍説文衣縬也或从衣 䁡小有財 㬉城下田 碝礝瑌説文石次玉者
或作礝瑌 㮕木名㮕棗也似柿而小 萸檽説文木耳也一曰蕣茈或作檽 蝡蠕説文動也一曰狄虢或作蠕 𡰪博雅弱也
䓴艸名藍也 䈀竹名 剌𠟰刺也或作𠟰 𩮢䙇羽獵韋絝或作䙇 渜濯也 ○棧士免切棚
也文七 俴淺也 孱孱陵縣名在武陵 齴齒不正 轏車名 蝬蟲名 虥獸名虎文 ○撰巽雛免切持也或
省文十七 譔䉵述也或作䉵通作撰 僎説文具也通作撰 顨選具也 㔸齊也从二巳 巽𢁉閏也
或从足 䲁魚名無骨 籑饌具食也或作饌 僝僝見也或省 鱒大魚也詩鱒魴沈宣讀 蕵艸名 䙡
衣緣 ○𥱺式撰切罔也文五 䍿羊未晬 僎愞僎弱也 匴𠥅笥也一曰漉米籔一曰竹盤或作𠥅 ○褊俾緬切説
文衣小也文七 辡𢍏説文憂也一曰急也或作𢍏 諞巧言 緶輪䡅也 編博也 惼狹意 ○楩婢善切木名文九
𢍏博雅憂也一曰急也 揙説文搏也 諞巧言 扁姓也古有扁鵲 牝畜母 輻編車也 艑舟名 𩋠履底 ○

本字七卅小字七百十九

集韻上聲六

六 長沙 李椿

緬𦀩彌兗切説文微絲也或作𦀩文二十二 靦靣説文勒靼也或作靣 愐慕謂之愐 愐悀説文勉也一曰想也
勔偭爾雅勔勔勉也或作偭通作黽 偭鄉也一曰偭焉不顧皃 湎䤄酾説文沈於酒也引周書罔敢湎于酒或作䤄酾
沔説文沔水出武都沮縣東狼谷東南入江一曰入夏水一曰流滿皃 丏説文不見也象壅蔽之形 慏説文厲也一曰止也 澠黽
澠池縣名或作黽通作沔 㴐浴尸也周禮大㴐李軌讀 婳姡也 㛰矜也莊子以黃金注者㛰 眠眠娗不開通皃 ○辨平免切别
也文六 辯説文治也从言在辡之間 辡罪人相訟也 䉒博雅箕䉒䉡也一曰竹簡 諞巧言 𢍏博雅憂也 ○辧
辧邦免切説文辠人相與訟也或从言文九 䁃説文兒初生瞥者 䚓視皃 鴘鷹隼二歲色赤亦姓 辨别也周禮辨方正位劉昌
宗讀 㳂水皃 釆揀别也一曰獸懸蹄 䉒古書竹簡也 ○鴘披免切鷹隼二歲色赤文一 ○免美辨切釋也上也亦姓文
十五 娩娩娩順也 㝃生子免娠也 勉説文強也 俛説文俯也 冕絻悗説文大夫巳上冠也邃延垂瑬紞纊古者黃帝
初作冕或从糸从巾 鮸説文魚名出薉邪頭國 葂菟闕人名莊子有蔣閭葂或作菟 䩂廣雅黃也 挽引也 浼潣
浼浼水皃或作潣 ○展展知輦切説文轉也一曰誠也舒也省視也隷省文十四 蹍蹍也 襢襢丹縠衣或作襢 𧝝

說文極巧視之也 輾 卧帀不周曰輾通作展 搌 博雅搌搓展極也一曰縛束也 皽 皮也 娠 娠妁好皃 蠹蜃 說文蟲也

或省 紾 轉也 榐 木名 ○ 蕆 丑展切說文敇也引春秋傳以蕆陳事一曰去貨文十六 蚩 說文蟲曳行也 [亻蚩] 人形長皃 [廴蚩]

[辶蚩] 安步也或作[辶蚩] [金蚩] 博雅[金蚩]抒長也 搌 搌搓展極也 [革展] 笑皃 [革蚩] 收絲器一曰驂具 斺 說文旌旗杠皃 [牛蚩] 牛緩

謂之壋 窴 窴皺笛聲緩也 [扌蚩] 擊也 [食蚩] 長味 棎 搓棎樹長皃 [木延] 木長皃 ○ 趈 邅 蹍 丈善切移行也一曰

循也或作邅蹍文四 紾 轉也 ○ 輦 力展切說文輓車也从扶在車前引之文十六 謰 謰謰語亂也 摙 負擔也 僆 爾雅雞未成者一曰

江東人謂畜雙產曰僆 蓮 蓮芍縣名在馮翊 槤 璉 說文瑚槤也或从王通作璉 鄻 說文周邑也 𤎎 小然謂之𤎎

連 難也易往蹇來連 㶕 水名山海經王屋之山㶕水出焉即濟水也 [黍連] [黍連]禾也 [氵輦] 水也 [連心] 留意 膦 膦輭無力 [女輦]

[女輦]輦劣皃 ○ 㞡 尼展切弱也一曰柔皮也文十二 輾 說文轢也或从㞡 碾 碾 磨也或从㞡 趁 跈

蹍 跟 踐也或作跈蹍跟 皺 窴皺笛聲緩也 [邑畢] 魯邑 棎 轢物器 ○ 轉 陟兗切輾轉反側也文四 㯞 死㯞箠也

竱 廣雅齊也 嫥 女名 ○ 篆 柱兗切說文引書也文十二 瑑 璩 圭璧上起兆或从篆 摶 百羽爲摶 縳 繐

說文白鮮色也或省 [阝彖] 博雅院也一曰道邊庳垣 [土彖] 耕土卷 沌 水名在江夏 腞 篆也莊子腞楯之上司馬彪說 鱄 魚名鮍也

戭 闕人名檮戭古才子 ○ 臠 脟 力轉切說文臞也一曰切肉臠也或作脟文八 覶 視皃 嫡 孌 孌 說文順也引詩

婉兮孌兮或作孌孌亦書作䜌 虊 藥 艸名鳧葵也或从欒 ○ 遣 去演切說文縱也文九 𦥑 𦥛 說文𦥑商小塊也隸省

繾 繾綣不相離也 饙 饘 博雅饘糗摶也一曰粘也一曰乾餌或省 篕 開 篕開鮮籍也 譴 小息也 墤 土𡓯也 ○ 演

以淺切說文長流也一曰水名文十五 衍 說文水朝宗于海也一曰廣也達也樂也散也通作演 縯 長也 戭 說文長槍也引春秋傳有檮戭

掀 舒布也 勔 絲緩也勉也 嗔 笑也 蔩 艸名爾雅蔩莬瓜 衝 蟲名蚰蜒也 延 綖 冕上覆或作綖 諓

諓諓善言 蜑 蟲形 衜 蟲行皃 桁 木名 ○ 蠉 馨兗切說文蟲行也文七 趯 走意 瞏 兒初生瞥者 蜎

蝝 井中小蟲或作蝝 顈 綴也 闞 開閉利也 ○ 蜎 蠉 下兗切井中小蟲或作蠉文三 繯 維也一曰旗幅一曰旌耳 ○

㕣 容 以轉切說文山間陷泥地从口从水敗皃讀若沇州之沇九州之渥地也故以沇名焉古作容文二十 沇 沿 流

說文水出河東東垣王屋山東爲泲古作沿或从兗 阭 陮 高也一曰地名或作陮 抗 捖 動也揣也或从兗 綄 絹也 莞

集韻一　聲六　十

艸名雀弁也駷馬逆毛兖州名通作沇蜎蜎井中小蟲或作蜎詥笑皃一曰善言繯維也吮嗍也
孨謹也𩗴小風○蜎葜兖切井中蟲名說文肙也文二鞙縳軛靼○蹇九件切說文跛也亦姓文三十
二謇嚵寋謇讓謥博雅吃也或作嚵寋謇讓謥寋一曰難也寋爾雅徒鼓磬謂之寋攓攐搴
說文拔取也南楚語引楚詞朝攓阰之木蘭或从蹇亦作搴俗作攐非是僊僆偃僊傲慢也或作僆㨪搌㨪展極也縒縮也
𧞫褰絝也或省𢐥弓彊皃𡾊巕嵼山皃搴蹇艸名蕳也或从蹇鰎魚名囝閩人呼兒曰囝鍵
籥牡也𨘢說文走皃鄽地名聞喜有鄽鄹𨗴竹名揵舉也難也𥍯矛屬鶱騺也𠡠力也橏
橏搌樹長皃○鍵鑳巨展切籥牡也或作鑳文六楗閵拒門木或从門件說文分也从人从牛牛大物故可分𡾊
巕嵼山皃○綣起輦切縮也文一○㫃於蹇切旌旗皃文四𧽈走意嫣長皃鼴鼠名○齴齗語蹇切博
雅笑也或作齗文十三巘山形似甑嵃嵼嵃山峻皃甗甑也遃行也𡟪姲博雅𡟪婧齊也一曰好也或省
瓛玉甑讞評獄也齞齒露也𪗈或从开𤬑瓢也○卷古轉切說文厀曲也文十菤䒷艸名爾雅

卷耳苓耳形似鼠耳叢生如盤或作菤𡕾屈也一曰華中辨謂之𡕾帣斂衣褭也𨻶聚名在安邑捲斂也通作卷埢
塚土𦍩爾雅羊角三𦍩羷𧯷豆屬○圈巨卷切說文養畜之閑文七蔨艸名爾雅蔨鹿藿蜎井中小蟲箘
竹名或从圈䓘艸名萆也倦怠也○欄來圈切木名文一○𠝹測展切刈也文一○蟤茁撰切蜿
蟤蜿不申皃文一○藑詳兖切艸名爾雅葍藑茅藑葍一種華有赤者為藑郭璞說文三𨟖地名膗短也一曰便膗小皃○
萹匹善切艸名爾雅竹萹蓄文一○羨延善切溢也文一○𩣡女軟切小有財文一○宛鳥勉切闕人名鄭有大夫宛文
二夗方言夗橐篿也○腞敕轉切篆也莊子腞楯之上文二蟤螷蟤不定意徐邈說
二十九○筱篠先了切說文箭屬小竹也或作篠文十𥖑黑砥石也山海經京山有玄𥖑謏䛞
說文小也誘也引禮足以謏聞或作䛞鰷𩵽鯈魚名或从了亦作鯈𥐰小石𢸜打也○湫子了切說文隘下也引春
秋傳晏子之宅湫隘一曰水名在周地安定朝那有湫泉文十二𣾰腹中有水气漅水名在盧江勦勞也𦷯艸名山薺也
罺盪也杪相高也一曰忽高𨚍地名在魯帩幧頭也一曰囪首飾愀變色𢄈拭也剿絕也○鳥

丁了切說文長尾禽總名也象形鳥之足似匕故从匕文十八 帞 帞𢂜綃頭也 㣿 憂也 蔦 樢 艸名說文寄生也引詩蔦與女蘿或从木

䑠 䑠舠船長皃 扚 說文疾擊也 𧙆 短衣 𥝖 說文禾危穗也 𠃌 幺 懸也方言趙魏之間曰𠃌或从幺

窵 窵窅深皃 隝 島 水中可居曰島或从山 佻 遠也 釕 鞑釕也 䃼 磟䃼懸石皃 伄 伄儅不常 ○

朓 土了切說文晦而月見西方謂之朓文八 趒 躍也 眺 覜 遠視或从見 篠 廣雅窈篠深也 䠷 身長皃 窕

爾雅肆也謂輕窕放肆 䃼 磟䃼懸石皃 ○ 窕 徒了切說文深肆極也一曰閑也文二十三 𤗓 牀版 絩 繒長皃 䍜

田界一曰疁田中穴 𢕦 行皃 誂 咷 說文相呼誘也一曰戲也或作咷 𠐠 獨立也 挑 博雅疾也一曰弄也 掉 搖動也

嬥 說文直好皃一曰嬈也一曰巴歌 𥓄 䂽 磽𥓄石名或从兆 佻 獨行皃詩佻佻公子一曰偷也 趙 𢯷 剌也詩其鎛斯趙或作𢯷

𥏼 矢也 跳 挑戰也 兆 數也十億曰兆 踔 路遠也 斁 擈也 朓 月側也 垗 埒也 ○ 了 朗鳥切說文了尥也从子無臂形一曰慧也訖也決也文二十九 磟 磟䃼石垂皃 䮭 驕長也 繚 繆 說文纏也或作繆 𧘇

方言小袴謂之衼𧘇 瞭 目明也周官有眡瞭 憭 說文慧也一曰快也 僚 嫽 說文好皃一曰戲也或作嫽 䑠 鵃䑠船長皃

璙 玉名 𨣏 𨣏𨣏面白也 撩 拔也取也 釕 鞑釕謂之釕 𤏩 拭也 燎 尞 轑 說文放火也或作尞轑

𤑌 𤒹 炙也或从巢 潦 潦 潦洌水清或省 鄝 鄡 說文地名或作鄝通作蓼 蓼 說文辛菜薔虞也 蟉

蟉虯曲皃 鮉 魚名 𡐨 長垣 ○ 褭 裊 乃了切說文以組帶馬也一曰騕褭馬名或書作裊文十五 㒡 嬝 美也或从女

𡽱 幽𡽱山皃 嫋 說文娓也 𩣡 騕𩣡長而不勁 嬲 嬲 戲相擾也或省 嬈 說文苛也一曰擾戲弄也一曰嬥也 𥕢

山田謂之𥕢一曰䂽石 㨐 擿也 𥢨 衡不舉也 㮕 木長弱皃 苶 苭苶艸長 𨽸 偃低皃 ○ 皛 胡了切說文顯也从

三白文十一 芍 葯 𦺇 艸名說文鳧茈也或从葯从斆 溔 渺溔水遠也一曰溔淼水深白皃 幻 相詐惑也或書作㚣 𪈿

雉 䯚 水脒也 的 菂 蓮子也或从艸 藋 艸名 ○ 杳 伊鳥切說文冥也从日在木下文三十二 眑 幽靜也一曰視皃

窅 說文深目也从穴中目 窈 窔 說文深遠也或作窔 偠 㛗 𡢊 嬈 偠㒡美皃或从女从幼从堯 騕 駚

要 騕褭古之良馬或作駚要 𩣡 𩣡騕長而不勁 葽 艸名爾雅葽繞蕀蒬今遠志也 旑 旟 說文旗屬一曰旗皃或从攸 𦆵

鳥名爾雅𦆵頭鵁似鳧脚近尾略不能行或書作𩣡 㝔 窔 窔 窔 說文户樞聲也室之東南隅或作窔窔窔 𥥍 說文望遠

集韻 上聲 十六

九

合也从日匕匕合也徐鍇曰匕相近也窅說文冥也闄隔也䁏瞝䁏眇遠視或作瞝苭苭茶艸長皃鷕雉鳴宎
竅聲莊子宎者咬者覞深視皃㴭㴭溟深不測岆山名○磽倪了切山田曰磽文一○趙起了切刺也詩其鎛
斯趙沈重讀文一○曉馨鳥切說文明也文四鐃說文鐵文也皢說文日之白也膮豕肉羹○硗磽
輕皎切山田也或从堯文四䯾高也憿幸也○皎晈吉了切說文月之白也引詩月出皎兮或从日文二十六皦說文玉石之白也
皛白也璬說文玉佩也鐃鐵文袎袎衫小袴憿繳行滕謂之憿或从糸恔說文憭也譑糾也撽持也
闄博雅絞也一曰經繆殺也䀏重瞼也撟撓曲也敫光景流也僥僥倖求利不止皃絞繚也曒皨
明也一曰清別皃或作曒憿憿倖以誠告也一曰幸也儌邀也史記儌一時權徐廣說朻木也爾雅朻者聊鷮鳥名似鳥蒼白
效方言效娃明也芍艸名鳧茈也

三十○小思兆切說文物之微也从八丨見而分之文四𦬁蔞𦬁艸名遠志也魦魚名杪說文相高也謂木生相高○
悄𢗕七小切說文憂也引詩憂心悄悄或从小文八愀容色變也俏行皃繰說文帛如紺色一曰深繒釥好也方言

青徐謂之釥䊔粉也一曰微也杪木高也○剿劋子小切說文絕也引周書天用剿絕其命或作劋文二十二勦
說文勞也引春秋傳安用勦民憔𧝤式也或从衣摷𢷾說文拘擊也或作摷䏴膘脅骨或作膘萩
蔌闕人名楚有大夫萩或作蔌愀色變皃或書作愁𦋺潐說文釃酒也一曰浚也盝也盡也或作潐杪木高也
𦖌耳鳴湫隘下也一曰地名在楚一曰水名在安定鄛邑名在魯漅湖名釥利也僬僬仯鷦竦𣽸腹中水氣
○少始紹切說文不多也文三𨚔說文地名也䒘說文艸也○𪌦麨糗齒紹切糗也或从酋少亦作糗文七楢
赤木名弨弓反曲也眧以目玩人謂之眧鈔取也○𤅯樵小切盪也文一○沼止少切說文池水文五炤
菬艸名仙光也昭明也詩其音昭昭箈竹名○紹綤市沼切說文繼也一曰紹緊糾也亦姓古作綤文九佋
介行也袑說文絝上也一曰絝襠也一曰衣襟也𧠈見也召也祒闕人名莊子有巫咸祒柖博雅林謂之柖卲說文卜問
也𡔡耕休田一曰瓜膡○擾擾鐃爾紹切說文煩也一曰順也或作擾鐃文十六獿犬驚也橈木曲嬈
亂也繞說文纏也亦姓遶字林圍也犪說文牛柔謹也䠦䠦躟足動褭騕褭良馬揉撓屈也或作撓

三十○小

𩈴切𩈴𩈘面曲窅見昍曉䁱深目也或作見昍曉䁱𤟻獸名𡤼𡤼㺒不順○齩𪘏

嚙咬五巧切說文齧骨也或从堯亦作嚙咬文六䶥骨鏃也磽石皃○𩳁士絞切黠也文二𠐱長皃○

澩澩下巧切水聲或作澩文二十三摎擾也散脛下也蔌茭茭博雅蔌茭根也或作茭茭佼

說文漻博雅清也一曰水中絕一曰潭也交也挍几足𥂝𥂝𥂝器名或作𥂝𥂝撹攪亂也或从覺㤒

慧也鬷艐筍也或作艐軪軪轕車多校校衫小袴齩齧骨也效事露也狡犬吠通作猤○飽

餜餐飴博巧切說文猒也或从孚从卯从缶文五怉悖也○鮑部巧切說文饐魚也亦姓文七骲骨鏃鞄

廣雅鞄鞄𩏵柔革工也或从韋从匋𣏗木名○卯丣莫飽切說文冒也二月萬物冒地而出象開門之形故二月為天門古作丣文十

泖水名媌姎博雅好也或作姎昴昴說文白虎宿星古作昴茆艸名鳧葵也

䀹聊䀹聊邪視綃旄絲○稍山巧切漸也文十五蕱藕根細者𨉖𨉖𨉖體長皃數捎擊也或作消

潲博雅潲濯潲也𥝩稍也耰種搜攪搜亂也橚梢說文長木皃或作梢鬖長姊謂之鬖䈾牛角開皃

箾竹枝長蕱艸長皃髾毛鬆長○鬻鬻鬻爒炒㷅楚絞切說文熬也或作鬻𤑈

𤑈炒㷅亦書作𤑈文十三抄掠也謅訬弄言一曰聲也或从少𨡅𩈴𩈘面曲懆心迫也吵聲也仯小也○

爪側絞切說文丮也覆手曰爪象形文十四叉蚤搔說文手足甲也或作蚤搔通作爪瑵玏說文車蓋玉瑵或从爪

爪笊笊籬竹器沝水中莯菜名生水中抓廣雅搔也𠐱長皃澡藻水艸或作藻獠𤝐西南夷種或从爪

○嗃哮孝狡切大呼或从孝文二○獠狫獠竹狡切戎夷別名或从豸从巢文三○橈女巧切曲木也文七

撓摎說文擾也一曰抹也或作撓獿方言猥也獿犬驚吠皃毴毴毴毴毛深亂者膠膠膠雜亂皃

三十二○晧下老切說文日出皃文四十翯素羽杲日在木上昦昊說文春為昦天元氣昦昦

或从淏清皃皞說文皞旰也亦姓顥皓皜皞暠鶮說文白皃引楚詞天白顥顥南山四顥白首人也或作皓皜皞暠鶮

浩澔說文澆也引虞書洪水浩浩或从皓灝說文豆汁也一曰灝灝夷曠也鎬說文溫器也武王所都在長安西上林苑中

滈說文夕雨也一曰水名在鄠鄗隔邑名在常山或从阜梏木名郹鄵邑名在南陽或从阜䝞虩

[illegible]

三十二晧 [illegible]

[illegible]

[illegible]

䯽髟亂皃或从彡瞟⿰目剽說文瞭也一曰日小皃或从剽覭目有察省見也慓說文疾也膘說文牛脅後髀前合革肉也
醥酒清謂之醥藨苕華一曰草盛皃篻竹名實中者犥牛白黃謂之犥⿰扌剽落也⿰氵剽水皃皫鳥色變
麃麇屬漂浮也○摽擙婢小切說文擊也一曰絜關牡也古作擙文十二蔈芆𠬪莩落也或作
芆𠬪莩通作標僄下急也顠䯽䯽白皃或作䯽膘脅前也鰾魚膠標木名○眇弭沼切說文一目小也文
十六吵雉鳴訬高也擾也渺渺溔水皃淼大水藐遠也春秋傳藐諸孤⿱艹眇艸細莖者篎說文小管謂之篎
秒⿰禾票說文禾芒也或作⿰禾票杪說文木標末也⿰鳥眇鳥名說文焦⿰鳥眇也一曰桃雀即巧婦或書作⿰眇鳥紗⿰亻眇微也或作仯
仯僬仯驚竦皃一曰小皃妙嫽妙女皃○表⿰衤麃⿸广表彼小切說文上衣也从衣从毛古者衣裘以毛爲表一曰識也
明也古作表⿰衤麃⿸广表文十裱方言帍裱謂之被巾褾袖耑藨艸名子似覆盆婊女字⿱艹表艸名也諘讃○
皫麃滂表切鳥毛變色或作麃文四藨艸名子似覆盆犥牛白蒼色○𠬪被表切說文物落上下相付也通作芆莩文十
七殍⿰歹莩芆莩餓死曰殍或作⿰歹莩芆莩藨苞艸名說文鹿藿也一曰蔽屬或作藨苞皫

犥毛羽朱色不澤也周禮鳥皫色而沙鳴貍或从牛摽落也詩摽有梅徐邈讀麔牡鹿⿰氵𠬪水皃也⿰各欠歐吐貉
獪也⿰豸止獸名似狐善睡也⿰扌麃析縛也○槁袪矯切枯也莊子槁項黃馘文四喬喬詰意不平⿰角喬角皃鱎白魚
○⿰皋斤魚小切折皋也文三⿰牛堯獸名一曰趙魏謂牛馬騰躍曰⿰牛堯鱎白魚
三十一○巧扝苦絞切說文技也古作扝文六⿱巧鳥鷦鷯鳥名巧婦也⿰阝丂地名⿰交頁薄媚⿱巧女
女字○絞吉巧切說文縊也一曰縛也亦姓又國名文三十狡說文少狗也匈奴地有狡犬巨口而黑身一曰獪也疾也⿰目交聊⿰目交邪視
攪捁說文亂也引詩祇攪我心或作捁筊竹索鉸交刃刀也⿰氵⿱羽皿⿰犭⿱羽皿⿱羽皿說文器也一曰撓使濁或从犬亦省
姣佼妖⿱交女好也亦姓或从人亦作妖古作⿱交女烄說文交木然也效⿱效灬說文交灼木也或作⿱效灬㽱
⿸疒交說文腹中急也或作⿸疒交挍亂也一曰憤意咬聲也莊子宎者咬者膠膠膠和也校疾也周禮轚兵細則校一曰柴
也恔慧也⿰犭翏擾也摎摎蓼搜索也⿱𥫗殽筍也⿱艹殽藕根也江東謂之⿱艹殽一說弓角接曰⿱艹殽⿰扌夋接物也一曰戾
也⿰氵覺撓水聲○拗挍於絞切拉也或作挍文十二鴢鳥名爾雅鴢頭鵁似鳧足近尾略不能行怮韱上也

三十一巧

繚闕人名莊子有黃繚猱獸名如獼猴健捕鼠墝地名○狢巨小切博雅狢犺健也文二蚪蟉蚪曲皃○嶠
丑小切山皃文三超趫輕走皃或从喬○趙直紹切說文趨趙也一曰國名亦姓文二十二肁說文始開也亦姓肇
謀也始也肈說文擊也通作肇晁晁陽縣名在東陽𠧞兆說文灼龜坼也从卜兆象形一說十億曰兆古省或作兆
兆桃桃博雅版也或作桃桃垗𤱛說文畔也爲四時界祭其中引周禮垗五帝於四郊或从田通作兆旐說文龜蛇
四游以象營室游游而長引周禮縣鄙建旐駣駣騑馬屬一曰馬三歲羏說文羊未卒歲一曰夷羊百斤爲羏狣狗也爾雅絕有力狣
鮡說文魚名大鮎也𢳘趙刺也詩其鎛斯𢳘或作趙通作趙洮水名在淮南絩說文綺絲之數也漢律曰綺絲數謂之絩
布謂之總綬組謂之首○溔以紹切浩溔大水皃文二十三苭苭茱艸長皃舀抭䑋𦦓說文抒臼也引詩或簸或舀或
作抭䑋𦦓骹𩨗脅骨或从号嶢山皃蓔艸皃瞗美目一曰眇瞗視皃榣木長皃鷕說文雌雉鳴也引詩有鷕雉鳴
或書作鷂闄廣雅遮也䔄艸名鴛韭也歀歀出气也或作歀偠要偠紹舒緩皃或作要旚旌旗皃兆
牀板媱女字嶢山名○夭於兆切說文屈也从大象形一說歘夔爲夭文十三紗紗緺理絲末成絢急絞也岆山名枖
木名殀少歿也ノ古夭也仸佂弱謂之仸一曰仸僑不伸麇獸名爾雅麇其子麇芺艸名爾雅鉤芺大如拇指中空初生可食

一曰芺薊味苦江東食以下氣閺隅也窈窈謂舒姿也枖艸少長也一曰木華葉茂苭艸皃○矯舉夭切說文揉箭箝
一曰妄也文二十二撟說文舉手也一曰擅也正曲也通作矯敿敽說文繫連也引周書敿乃干或从殳𡢃說文竦身也
嬌女字憍小人得志也譑糾也一曰多言蹻爾雅蹻蹻憍也䀉眹也一曰目重瞼𧤊角高皃太玄𧤊其角蟜
說文蟲名一曰夭蟜龍皃一曰野人身虎文亦國名又姓鱎白魚糾窈糾舒皃槁撓木使曲橋闕人名秦有盛橋驕慣驕不可
禁之勢蕎艸名喬喬詰意不平僑伕僑不伸鐈溫器似鼎非高足鄗國名○驕巨夭切驕驕長也文十
乚相糾也糾窈糾舒皃茾艸相糾皃麔牝麔也狢獪也趫趫走莜艸名爾雅莜蚍蜉撟夭撟頻伸
皃爾雅人曰撟歊博雅吐也○褾䘯裱俾小切袖端或从少从表文十三蔈說文苕之黃華一曰木也標木末
也莊子上如標枝嘌山顛䚋說文目有察省皃也剽末也摽落也北史摽其門閭䕯艸名獢獪也表
䙳外也一曰上衣或从麃○䀉吉小切目重瞼文一○縹匹沼切說文帛青白色也文十八標說文木杪末也顠

媢夫妒婦芼以菜和羹撖木名冬桃也苺艸名馬母也○嫂嫂蘇老切說文兄妻也或从叟俗从更非是

文八燥乾也俗作懆非是埽掃說文弃也或从手蕿蓃說文艸也或作蕿糔溲也○艸草

屮采早切說文百艸也从二屮或作草屮文八騲牝馬嘈嘈嘐寂靜也懆說文愁不安也引詩念子懆懆愺

愺恅心亂慅爾雅慅慅勞也一曰愁也○𣅀早子皓切說文晨也从日在甲上隸作早通作蚤文十九蚤蚤

蚤螬說文齧人跳蟲或从虫亦作蚤螬璪澡說文玉飾如水藻之文引虞書璪火黺米或从水璅說文石之似玉

者繅文采也通作繅藻繰博雅繰謂之鎌一曰紺色棗木名說文羊棗也亦姓藻藻藻說文水艸也引

詩于以采藻或从澡从繰鱢魚名鮭足也轈車飾有華藻也杜子春說剿方言儈也秦晉間曰剿鄵邑名在筑陽

○皁在早切黑色一曰馬閑一曰賤人文十一梍木名莢實者草草草說文草斗櫟實也隸作草草通作皁

造造艁迣造作也或从草古作艁迣造淖水名○倒覩老切仆也文三十搗擣擣

捯說文手推也一曰築也或作擣搗捯禱禂𩃶嘄說文告事求福也古作禂籀作𩃶或作嘄㠀鴅

嶹隯島說文海中往往有山可依止曰㠀或从𨸏亦作嶹隯亦書作嶋古作島檮斷木禂騳𩦼說文禱牲

馬祭也引詩既禡既禂或作騳𩦼𤸷瘍病也古从䳛堢壔說文堢也一曰高土或从壽𧃸䕞

𣉃博雅舂也或从䳛亦作𣉃碣磟碡縣石皃𣫐懸擊物懤憂也窵窵窅深皃𧄄艸名○討

土皓切說文治也一曰求也稅也文五套長大也槄木名山楸也𥟧關西呼蜀黍曰𥟧黍稻秔也關西語○道

衜衟杜皓切說文所行道也一達謂之道古作衜衟文二十三䆃瑞禾一莖六穗一曰治粟稻說文稌也亦姓駣馬二歲名

駣駣駚長也洮水名在江淮間𦆹纛纛翿𦐆翳也舞者所執或作𦃽纛翿古作𦐆𩯭髮長繰色在

青黃間曰繰肁始開也肇擊也肈謀也始也𦍡羊未成曰𦍡鮡魚名小鱯也絩五色縛狣犬絕

有力者𧦝說也通作道敄覆也禮每敄一几○老魯皓切說文考也七十曰老从人毛匕言須髮變白也亦姓文二十二

撩取也嘐嘈嘐寂靜𤸷癘𤸷亦疾恅愺恅心亂轑說文蓋弓也一曰輻也橑說文椽也𧀧藔

說文乾梅之屬引周禮饋食之籩其實乾𧀧後漢長沙王始煑艸爲𧀧或从潦栳𥬉栲栳柳器或从竹也䕩博雅䕩䵲黃也䵲

受肉籠 潦說文雨水大皃 咾聲也 澇水名在扶風 蓼摎蓼捜索也 橑木名 獠獠僚

西南夷謂之獠或从大从人亦作獠一曰土人自謂獠獠別種 ○ 𡿺腦腦匘腦乃老切說文頭髓也从匕匕相匕箸也巛

象髮囟象𡿺形或作腦腦匘腦文三十三 䠷䟫䠷長皃 嫍惱惱嫍嫐儂說文有所恨也今汝南人有所恨曰嫍或

作惱惱嫍嫐儂 碯瑙碯瑙博雅碼碯石次玉也或作瑙碯瑙 獶貓貓獶獸名蜼貁也或作貓貁獶

謟謟語相侮也或作謟 瘤瘤瘧病也或作瘤瘧 熇熇熇熱皃或作熇熇 媤姓也 㜑嬈也

騷褭騷馬名 擾煩也 鬆鬆髮皃 ○ 䴒麃滂保切毛羽不澤也或作麃通作犥文四 犥牛白著色 敲擊虛聲

三十三 ○ 哿賈我切說文可也引詩哿矣富人文十 舸大船也方言南楚江湖謂之舸 笴箭幹 笴笴

笴蒩或作笴 魺鮓也南越曰魺 菏蕅荷澤名或作蕅荷 戨繫舟杙 ○ 可口我切說文肎也文六 岢

岢嵐 軻說文接軸車也一曰轗軻失志 坷坎坷不平一曰亭名在寧陵 閜門傾也 斪斪斪斲也 ○ 𣢐閜

許我切大笑或作閜文五 頗傾頭視也 破㱿擊也或作㱿 ○ 荷何抲抲下可切博雅儋也或作何抲亦省文

大一マ四十四 小六マ四十

集韻上聲六　十六　文

八 哿慢譍聲 苛急山也 礣磆礣磆山皃 笴箭幹 ○ 閜閜倚可切說文門傾也或省文十二 旖旖旎旌旗皃

衺衺衺衣皃 錒錒也 椏橊椏樹衺 榱椏榱木盛皃 椏椏搖也 猗阿柔皃詩猗儺其枝或作阿 娿

婀娿娜弱態或省或書作婀又姓 ○ 我𢦓語可切說文施身自謂也一曰我頃頓也亦姓古作𢦓文十一 涐水名在蜀 俄

䫏行頃也或从頁 哦誐吟也或从言 㧴差也 硪峨砐硪山高皃或从山 騀說文馬搖頭也 ○ 𠂇左

子我切說文𠂇手也象形或从工亦姓文八 佐㑪佐行不正 馳她姐博雅馳媪母也或作她姐 佐助也 䶑丘名 ○

嚲嚲典可切垂下皃一曰厚也廣也古作嚲文十 䵅說文富䵅䵅皃 頦醜皃 哆說文張口也 䟾䟾䟾小皃行態

䏧肉物肥美 㚊博雅妻父謂之父㚊妻母謂之母㚊 癉勞也怒也 袳衣弱皃一曰被也 ○ 袉他可切長皃文四 袳

加也 訑言不正也一曰欺罔自誇皃 柂木堅皃 ○ 拕拖扡佗待可切引也或作拖扡佗文二十七 袉說文裾也引論語朝服袉紳通作拖

爹說文爹爹父也 阤陀陊博雅壞也或从它从多 沱池沲沲水皃或从陁亦作沲

柁柂舵䑨杕正船木或作柂舵䑨杕 炨灺燭餘或从也 詑訑誃欺罔也或

[illegible]

作詑諺 酡將醉謂之酡 頙傾頭視也 拸加也 抲擔也 ○砢 磥 砢可切衆石皃說文磊砢也或从羅文十八 橠
檰橠木茂皃 旑 剆 剮說文柯擊也或作剆剮 㩬㩬椏樹衰也 斵曳鈎也 㦬裂繒 攞揀也裂也 哿
暋哆垂皃 儸懡儸慙也 䴹或从面 邏遮也 囉聲也 䃱䃱砢山皃 擺椏擺搖也 曪曬曪日無光 ○娜
乃可切婀娜美皃文十二 那何也 儺行有節也 㢁 旇旑㢁旗皃或作旇 𢃦 𢅥 㛊博雅𡪉𢃦也或作𢅥㛊
褭褭褭衣皃 橠 難橠橠木茂或作難通作儺 𨏌轅也 ○縒想可切繒鮮絜謂之縒文六 㛗女皃 䙎
衣長也 鬡鬡鬡髮美 娑馺娑殿名 瑳明也 ○瑳 玼此我切玉色或作玼文十 䃎䃎石地名 鬡說文髮好也
傞傞傞舞皃 醝山醝栗名 縒采色鮮曰縒 䙎衣長也 娑馺娑殿名 搓邪皃
三十四○果 菓古火切說文木實也从木象果形在木之上或作菓文十九 盉盤也 淉說文水也 惈
惈敢勇也通作果 裹說文纏也 輠 鍋車膏器輠或从金 鐹 鍋刈鉤方言陳楚謂之鐹或省 𠛾 划割也或从
戈 猓猓然獸名似猴通作果 蜾 螺 蝸蟲名說文蜾蠃蒲盧細腰土蠭也天地之性細腰純雄無子引詩螟蠕有子蜾蠃負之或

从果亦作蝸 蠃蠃蘭車名喪服所乘 粿米也 餜餅也 ○顆苦果切說文小頭也文八 堁堀堁塵起皃 棵
腂組名或从月 敤說文研治也舜女弟名敤首一曰擊也 㞜 髁髀骨或从骨 果飽皃莊子腹猶果然 ○
火 灮虎果切說文燬也南方之行炎而上象形古作灮或書作灬文三 邩說文地名 ○禍 禍 媧户果切說文害
也神不福也古作禍 𧻚說文𣎆惡驚詞也 過秦晉之間凡人語而過謂之過 夥 錁說文齊謂多為夥或
从咼通作錁文十一 輠 楇 輠 過簡也車盛膏器或作楇輠過 ○婐 婐烏果切說文婐也一曰女侍曰婐孟軻曰舜為天子二女婐或
作婐 倭倭墮髻皃 矮博雅矮多也 鬖鬖鬡髮美 碨碨砈石皃 倮揉抋摘也 睸明也 ○妸五果切說
文婐妸也一曰弱也好也文六 卮說文科卮木節也賈侍中說以為卮裹也一曰卮蓋 砨碨砨石皃 頤靜也 扼摞扼摘也 鮀
魚名 ○跛補火切說文行不正也一曰足排之文八 跛說文蹇也 鼁 蛂蟲名蟾蜍也或从虫 駊駊騀馬行皃 播
搖也 簸說文揚米去糠也 黿鼅鼊屬 ○頗普火切不正也文八 叵說文不可也从反可 駊 駆馬行皃說文駊騀也
或作駆 洰水皃 巔巔峨山皃 叵聲也 跛䟦小高皃 ○爸部可切爸爹父也文一 ○麽 䯢

三十四果

懡 毋果切說文細也或作䯬文十一 醾醿䤕 懡懡㦬憅也或作醾醿䤕 曬 曬曬日無光 㙬 細土 没 不知而問日拾没

䯬 漏病 䊨 行皃 ○𧴪 損果切說文貝聲也文二十二 鎖 鋃鐺也 鏁 或作鏁 䩛 革鎖也

碩 磦 小石或作磦 摃 揣擊也一曰動也 惢 心疑也 鄭 亭名在河南 溑 漅 說文水也或作漅

葰 葰人縣名在上黨 篌 博雅篘䉐席也一曰竹名一曰箄也 䵽 䴬 說文小麥屑之覈也或作䴬 鰖 鱳 魚名或作鱳

脞 叢脞小也 膸 說文䏺也 剫 切也一說斫直圜曰剫 瑣 璅 說文玉聲也或作璅 ○脞 取果切小也一曰切肉為脞文三

䂳 䂳石地名 磋 碎石 ○坐 坐 粗果切止也或作坐文五 侳 安也 𡹤 山名 睉 目小

○朶 朵 䅝 都果切說文樹木垂朶朶也或作朵亦从艸文三十二 褍 衣長一曰衣正幅 㩪 說文箠也一曰揣度也一曰剟

端 動也易觀我朶頤京房讀端也 媣 說文量也一曰女字 綵 冕前垂也 綞 字林綞子綾也 碡 石皃 揣

挅 揺也一說度高曰揣或从朶 陏 小崖也 鍷 鈌也 堶 說文堂塾也 鞖 履緣謂之鞖 䅜 說文禾垂皃 霊

雲不鬀族也 鬌 鬄 剃餘髮或从朵 捶 敤 敁捶物輕重也或作敤 褍 博雅褍袖也 椯 科椯木首杌也宋惟幹說

埵 說文堅土也 過 大衣也 峚 𡷂 山皃或从朶 踝 行皃 鑐 車轄頭 樇 木聚生皃 䈝 竹名 ○

妥 綏 敱 吐火切安也或作綏敱文二十二 婿 嫷 好也或作嫷 隋 埋祭餘也 鰖 魚子已生者 㛀

隓 隋 山長皃或作隓隋 鬌 嬰兒前髮謂之鬌 橢 木圜而長曰橢一曰車中器通作隋 鵽 鳥名 膅 牲肉謂之膅

稇 禾穗也 跺 行皃 㨖 揲也 溣 水名 墮 墜也 㥩 不敬也 睴 睴皽小高皃 𠐞 倭墮髻皃 ○惰

惰 嫷 㥩 杜果切說文不敬也引春秋傳執玉惰或省古作嫷㥩文二十八 隋 說文裂肉也 嫷 說文南楚之外謂好曰嫷

陊 隓 墮 說文落也或作陊墮亦書作隨 埰 垜 堂塾一曰射堋或从𠂤 䅜 禾積也 篅 笪篅竹名實中

甀 甌也 橢 橢器也 鞖 履緣 鰖 鰖 說文魚子已生者籀省 鬌 剃餘髮一曰髮美 隓 說文山皃

鐩 說文鈴鐺也 隋 說文山之隋隋者 揣 揲也 篡 筂篡竹名生南陽漢時獻為馬策 𧱣 豕 埵 堅土 𤈦

卵壞 𡓦 起土為坅 ○蠃 裸 躶 倮 𠐿 魯果切說文袒也或从果从身从人从㬰文二十三 卵 凡物無乳者卵生

言蠃 蠃 蟲名說文蜾蠃也 瘰 瘰癧病 𧕱 瘰 瘯蠡皮肥也一曰疥病或作𧕱瘰 稞 無皮穀 蓏 㒩

𣎆說文在木曰果在地曰蓏一說有核果無核蓏一說有殼果無殼蓏或作㒂𣎆 果龜名前弇果 ⿰歹𣎆說文畜産疫病也 ⿰𣎆鳥
鳥名博雅果𣎆桑飛 ⿺辶𣎆說文鄉中病也 𣎆說文獸名象形 䴹麫也 樏木名實有皮無殼 蜾蟲名虒蝓也通作𣎆 ○
⿰女厄婧努果切⿰女厄好皃或作婧文三 扼趙魏之閒謂摘爲捰扼 ○ 坷苦我切埳坷地不平文一 ○ 齹⿰亻齹才可
切齒不齊也或从佐文二
三十五 ○ 馬⿱日巿影母下切說文怒也武也象馬頭髦尾四足之形古作⿱日巿影亦姓文十 碼瑪碼碯石之
次玉或从玉 罵詈也 䣕郲䣕縣名 ⿱穴鳥穴名在燕野 鰢魚名 ⿰馬鳥鳥名 ○ 乜母野切虜姓文二 咩羊鳴 ○
把補下切說文握也文三 ⿰巿巴說文擊也 笆竹名有刺 ○ 跁部下切跁跒不前文五 竨說文短人立竨竨皃 笆
竹名有刺 蚆蟲名小蛤也 罷止也 ○ 寫洗野切說文置物也文九 瀉去水也一曰鑑形 ⿰木寫博雅案謂之⿰木寫 ⿰金寫
範金也 ⿱舄金獸名 ⿰言寫言以寫志 舍方言發挩舍車也 ⿸厂寫仄也 藛澤藛藥艸 ○ 且且且淺野切說
文薦也一曰䛐詞古作且且文五 跙躐跙足利 担取也 ○ 姐毑她媎子野切說文蜀謂母曰姐淮南謂之社古作毑

或作她媎文六 担博雅取也 飷食無味 ○ 灺似也切說文燭㶳也文二 担取也 ○ 姐慈野切弥姐羌族名文二 担取也
○ 捨舍始野切說文釋也或省文七 ⿰食多⿰食舍⿰食有飫也或从舍 騇牝馬 庴小室 赦放囚一曰置也 ○ 奲
齒者切寬大也文十一 哆侈移大皃或作侈移 撦裂也 ⿰扌者擊也 ⿰奢鬼⿰者鬼醜⿰奢鬼惡也或省 ⿰氵奢瀆⿰氵奢不絜也
俗語 奓張也 趍距也漢令趍張百人 ○ 者止野切說文別事詞也从白聲𣥑古旅字文六 赭說文赤土也 堵縣名亦姓
⿰扌者擊也 褚衣赤也方言卒謂之褚 ⿰馬者馬名 ○ 社⿰示土⿰示坴常者切說文地主也引春秋傳共工之子句龍爲社神一曰周
禮二十五家爲社各樹其土所宜之木亦姓古作⿰示土⿰示坴文三 ○ 惹爾者切詭也譃也絓也或書作偌文六 若艸乾也一曰若若綏垂皃一曰
今人謂弱爲若亦姓 喏⿱若言吟應聲或作⿱若言吟 踷蹤踷距地用力也 ○ 灑所下切汛也文一 ○ ⿱差魚鮺
⿱昔魚鮓側下切說文藏魚也南方謂之黔北方謂之鮺或作鮺⿱昔魚鮓文十七 ⿱𦍌火博雅𤎖也一曰束炭 厏屋也 厏厏厊不相合
痄痄疨創不合也一曰病甚 詐謯詐謯言戾或从虘 ⿰扌差衰斫也 苴茬土苴和糞艸也一曰糟魄或作茬
⿱竹差炭籠長沙語 艖小舟 ⿰食差食無味 ⿰言差誘言 ○ 槎柞㓼仕下切說文衺斫也引春秋傳山不槎或作柞

劉文十夻夻夻自大庌屋也痄痄疨不合縒縒紕皃羙束炭也厏厏厑不相合詐詐謑

言庎○稄數瓦切後人縣名在上黨文五謏強語傻傻俏不仁一曰輕慧皃䤂頦面醜或从頁○硰楚瓦切石

藥雌黃也一曰小石皃文三嗄惡言浚泥也○觰展賈切觰觰牛角上張皃文五苴土苴糟䰎也一曰不真物縿縿絮絲絮

相箸倘偈倘行皃踷衺行皃○奼姹丑下切說文少女也或作姹文三土土苴不真物○磊吕下切磊

䃎不中皃一曰磊苴泥不熟文二砢磊砢石皃○絮女下切縿絮相箸皃文七砎磣砎石垂皃胗膩也餕饜也

肥腂肥肥皃縿黏縿黏粘也或作黎○縿縿竹下切縿絮絲絮相箸也或从奢文七縿縿縿粘也

踷蹃踷行跨皃磣磣砎石垂皃磊磊䃎不中皃腨膎肉○穤丑寡切穀名可食一曰𦬁麥文一○野

墅埜埜以者切說文郊外也或从土古作墅埜文十一也乜說文女陰也一曰語助或作乜冶說文銷也一曰女態

虵虵蛭氏虜姓也蠱腹病一曰媚也㳌埅泥淖也或从邪○丅下亥雅切說文底也指事或作下文六夓

𩟐夏說文中國之人也从夊从頁从臼臼兩手夊兩足一曰大也亦國名古作𩟐隸作夏厦大屋○閜許下切說文大開也

文六啁嘲博雅笑也或作嘲覂覆也煆方言熱也土土苴糟䰎也○跦宅下切跦蹃行不進文一○跒口下

切跒行不進文三價價價大皃齖齬也○賈舉下切姓也一曰國名文十六斝說文玉爵也夏曰琖商曰斝周曰爵

一說斝受六外叚叚說文借也或作叚譚長說如此通作假假說文非真也一曰大也亦姓徦蝦說文至也或作

蝦䗫說文大遠也婽博雅好也瘕腹中久病檟榎木名說文楸也引春秋傳樹六檟於蒲圃或作榎通作夏檟一

曰苦荼椵說文木可作牀几夏陽夏縣名鰕魚名爾雅鰝大鰕瑕已也詩烈假不瑕鄭康成讀○抲烏瓦

切吳俗謂手爬物曰抲文四踩踩跨行不正䨘色敗腂腂肥肥皃○啞瘂瘂倚下切瘖也或作瘂瘂文

七婭婭姹作姿歅鼓歅騃鳴也掗掗搖搖也䟜行不正皃○雅鴉語下切鳥名說文楚烏也一名鸒一名卑

居秦謂之雅或从鳥雅一曰正也文九疋說文古詩大疋字通作雅㼊博雅杯也厊厊厍不相合庌說文廡也引周禮夏庌馬

疨疨疨病甚牙車罔訝訝訝言戾○踝戶瓦切說文足踝也文二十三䫴䫴說文擊踝也或作䫴䫴

顆嬰大口曰𦀚或省倮肉袒也㾧屭履也方言西南梁益之間謂之屭一說青絲頭履或作屭輠車轂轉皃

一日車膏器稞粿說文穀之善者一曰無皮穀或从米⿺麥果麴也蘳說文黃華也觟說文牝牂羊生角者也⿰魚果

魚名說文體也跨髀間髁謑髁不正皃一曰謹刻腂藥艸名生山谷中益氣延年蘳蔛蘳黃也⿰耳果地名

⿰言咼喎疾言皃或从口鮭楚冠名○髁骻苦瓦切髀骨也或从夸文十五跨踦跨行不進皃⿱屮十卝

說文跨步也或作午夸夸夸自大銙⿰革夸錁帶具或作⿰革夸錁㤉袔小衫曰㤉或作袔顝醜皃也咵言戾

恗心怯也楇橫擿杖○寡古瓦切說文少也从宀从頒頒分賦也故爲少文十二⿰亻咼偽⿰亻咼行皃窐博局方目也⿱竹咼

箋⿱竹咼收絲具⿰角咼觰⿰角咼觰牛角上張皃跒跒蹅行跨皃冎另剮說文剔人肉置其骨也象形頭隆骨或作另剮丫

說文羊角也象形⿱另木枴老人杖也或作枴亦書作柺○瓦五寡切說文土器也燒之總名象形文五邷地名在衛⿰木瓦

博雅鼓鞢謂之⿰木瓦⿰貝咼⿰貝危財也或从危○哆丁寫切魚口張皃文一○⿰足去力者切身不就皃文二忚忚忚心不欲

○土片賈切土苴不眞物一曰糟䰰文一○⿱竹叉初雅切竹名文一

三十六○養⿰羊攵以兩切說文供養也一曰育也亦姓古作⿰羊攵文十五懩心所欲也勨說文繇緩也一曰動也勉

也痒癢膚欲搔也或作癢瀁漾潒滉瀁水皃或从羕从象蛘蝆蟓蟲名說文搔蛘也一曰北燕人謂蚍

蜉曰蛘或从養从象⿰月養⿰月養⿰月養欲吐⿰養力勸也攁發動也○象⿱爫象似兩切說文長鼻牙南越大獸三季一乳象耳牙四足之

形一曰罔象水神一曰南蠻號古作⿱爫象文十六像說文象也通作象勨勉也動也橡說文飾也一曰未笄冠者首服潒

漭潒水急皃樣橡說文栩實也或作橡⿰山象山名蟓蟲名食桑葉作繭者鱌魚名白魟也⿱艹象艸名鐌鐌鼻

器鈕一曰錦名⿺辶象行也⿰象鳥鳥名䉃剖竹未去節○奬將子兩切勸也助也或作將文九獎說文嗾犬厲之也

蔣艸名說文菰蔣也一曰國名亦姓䉃說文剖竹未去節謂之䉃一曰簾也席也⿱竹槳槳⿱竹將⿰舟將方言所以隱櫂謂之

槳一說前推曰槳却曳曰櫂或作槳⿱竹將⿰舟將亦書作⿰舟將○㒳里養切說文再也引易參天㒳地通作兩文十五兩說文二十四銖爲一

兩从一从㒳平分㒳說文二入也㒳字从此緉說文履兩枚也一曰緉緉絞也⿱艹兩艸名脼說文膎肉也一曰多味倆伎倆

功也⿰兩力⿰兩力勥力拒也一曰體急皃裲衣名博雅裲襠謂之袹腹⿰木兩松液蜽魎良閬說文蛧蜽也或作魎良閬通

作兩掚飾也春秋傳御下掚馬○鞅倚兩切說文頸靻也文十九抰說文以車鞅擊也怏不服懟也⿰貝央無貲也

三十六○養

詄說文早知也一曰閅也𩞄䬬博雅滿也一曰飽也或作䬬秧秧穰禾密皃柍屋中央一曰架屋皃一曰木名梅也

胦脖胦臍也炴火光映恨視紻說文纓卷也岟山足也一曰山名駚駚犇獸跳踏自撲也一曰駚驡馬皃

⿰虫色气流皃⿰扌竟擊也佒偃佒不能俯皃一曰守分歸一曰之佒陸德明說盎盆也○強彊巨兩切勉也或从畺

文十五⿱強言詞不屈也勥⿱彊力迫也或从彊⿱彊金鈆屬⿺鬼強鬼名弜說文彊也从二弓⿱強儿彊仆也誩

競言也⿰扌竟擊也滰說文浚乾漬米也引孟子夫子去齊滰淅而行疆堅土也周禮彊檃用蕡蔃艸名儉葳人食其根鏹

硬食○仰卬語兩切說文舉也或省文五䩕履也方言東北朝鮮洌水之閒謂之䩕角茚茚艸名昌蒲也或作茚○

⿰爽瓦⿱爽見楚兩切說文瑳垢瓦石或从相文十二摤磢磨滌也或作磢𣽊淨也⿰爽頁醜也搶突也傸惡也

⿰爽刂⿰月倉皮傷也或作⿰月倉愴愴怳失意⿰冫爽冷皃○想寫兩切說文冀思也文四鮝鱶魚腊或从養

欀木名皮中有米可為餌○掌止兩切說文手中也文九爪說文亦丮也从反爪抓批擊也仉⿰亻爪仉督

梁四公子名或从爪一說从几者誤黨姓也⿱竹掌竹名⿱艹掌艸名攩推也○爽⿱大爽⿱㸚兀所兩切說文明也一

曰差也或作爽古作⿱㸚兀文十七騻驌騻良馬⿱竹爽竹皃慡性明也⿰氵爽浮也塽地高明處通作爽⿰爽瓦⿱爽見

半瓦也或作⿱爽見縔博雅緉縔絞也一曰履底繩⿰糸彖⿰糸彖中蘮樉木名一曰木茂皃䕓艸名鷞鷞鳩鳥名鷹也

通作爽⿰爽頁醜也⿰禾爽禾皃○敞齒兩切說文平治高土可以遠望也一曰開也露也文十三惝惝惝怳驚皃或省

氅鷩鷩羽或从鳥廠屋無壁也堂蹋也岠也倘倘然止皃儻孔敞無偏也⿰尚鳥鳥名山海經基山有

之如雞三首六足鄗地名僘寬也𨂫踞也○響⿱穴皀薌鄕⿱鄕言許兩切說文聲也古作⿱穴皀鄉或

从口从言文十五⿱鄉冋兩階閒謂之⿱鄉冋曏說文不久也引春秋傳曏役之三月亯享亭說文獻也从高省曰象進孰物形引

孝經祭則鬼亯之一曰當也隸作享古作亭饗說文鄉人飲酒也蠁蚼說文知聲蟲也司馬相如作蚼一曰鹽雞名闁門響

也向闕人字春秋傳晉有叔向○繈舉兩切說文觕類也文九鏹以繈貫錢襁強襁說文負兒衣或省亦作襁

膙筋強也勥勉強力拒也絙闕人名鄭伯絙也憼敬也○丈丈雉兩切說文十尺也从又持十隸作丈文六

杖說文持也仗刀戟總名一曰憑也疛病也扙傷也○⿱竹將在兩切剖竹未去節文二⿺走匠行皃○袓丑兩

崵⿱山湯山名或从湯通作碭 嵣嵣岨山皃 璗說文金之美者與玉同色禮佩刀諸侯璗琫而璆珌通作瑒 簜說文大竹
也引夏書瑤琨筱簜簜可爲幹筱可爲矢 ⿱竹易說文大竹筩也一曰盛酒竹器 駫光皃 暘春也 ⿱湯心⿱湯虫博雅⿱湯心⿱湯虫動也
或从虫 ⿰衤昜襐博雅飾也或作襐 䉶竹名 逿過也 ⿱湯女婸也戲也 瑒大圭尺二寸 ○黨底朗切說
文不鮮也文十四 讜譡善言也或作譡 灙灙漭水皃 攩說文朋羣也通作黨 ⿰尚阝⿰黨阝說文地名周禮五百家也或作
⿰黨阝古書作䣊通作黨 欓木名越椒也通作欓 党党項虜名 䕞艸名 ⿱尚兀博雅⿱尚兀坑⿱尚兀也 儻助也一曰倜儻卓異皃 ⿰禾黨
頓⿰禾黨黃穀名 ⿱艹易簡易也 ○曭坦朗切日無光也文二十一 灙灙漭水皃 矘說文目無睛直視也 ⿰目昜⿰目黨
白色或从黨 爣爣烺火皃 帑金幣所藏也 儻倜儻卓異皃 偒真也一曰長皃 戃戃慌失意 ⿰月黨月不明
⿱竹易大竹筩 偒大仌 蕩平易也詩魯道有蕩徐邈讀 倘止皃一曰自失皃莊子倘然止李軌說 惝惝然惘也
或作儻 黨與也漢書黨可徼幸通作儻 攩攩搥擊也 踼申足伏卧 欓木筩 ○朖䀶𣍐里黨切說
文明也亦姓或从日古作𣍐亦書作朗文二十一 悢懭悢意不得皃 誏言之明也 ⿰目兩䀶目明或从良 硠博雅硠硠堅也

一曰石聲 㝗㡉㝗屋虛 崀嵻崀山虛 俍儣俍不平 榔⿰木兩木名或作⿰木兩 狼狼犺獸名似猴 烺爣烺火皃
筤說文籃也 䄡䄡褬衣敝 㝗㡉㝗空也 閬爣閬寬明皃 浪孟浪較略之言徐邈說 埌壙埌原野迥皃 ○
曩乃朗切說文曏也文五 灢泱灢水濁 瀼灢水流皃或从曩 ⿱襄毛⿱襄毛⿱襄毛毹毛深亂皃 ○榜牓補朗
切木片也或从片文十 髈髈毴鬅亂 毴⿺毛旁博雅毴毴𨥤也一說邪丈曰毴或从旁 騯騯騯馬皃 螃蟲名陸居蝦蟇也
傍左右也 ⿱艹傍蒡牛蒡艸名或省 ○髈普朗切脅肉也文三 ⿰旁色⿰旁色⿰色旁色晴也 覫視物皃 ○莽
母朗切說文南昌謂犬善逐菟艸中爲莽文二十 茻說文衆艸也从四屮 ⿱雨莽⿱雨莽霿雲色 漭⿰氵罔漭沆水大皃或作⿰氵罔 ⿰山莽⿰山芒
嵣⿰山莽山皃或从芒 䁳䁳䁳不明也 䁳無一目曰䁳 ⿰金莽鈷⿰金莽溫器 ⿰毛莽毴⿰毛莽毛布 蟒大蛇 ⿰莽色⿰旁色⿰莽色色晴 ⿰莽壴
吳王孫休子名 孟孟浪無趣舍之謂向秀說 汒忽遽皃莊子汒若於夫子之所言 ⿱穴亡⿱穴亡㝗空也 ⿰骨莽骯⿰骨莽體胖也 ⿱竹莽
竹多其節稠 ⿰莽鳥⿰莽鳥鵝鳥名 ○顙寫朗切說文頟也文十一 ⿰足桑⿰鼓桑鼓枕或从壴 ⿰馬桑騯⿰馬桑馬皃 嗓喉也 磉
柱下石 鎟鈴聲 褬䄡褬衣敝 搡搷也 ⿸疒桑馬病 ⿰車桑車輞 ○蒼采朗切莽蒼寒狀一曰近郊之色文一

集韻上聲十六　二十四

○駔子朗切說文牡馬也一曰馬蹲駔也一曰市會文五驡驡騬良馬髒骯髒體胖[illegible]犬也通作駔臧善也○

奘在朗切說文妄彊大也从犬文四[illegible]鈴聲奘駔說文奘大也从大或作駔○沆下朗切說文莽沆大水也一曰大澤

皃一曰沆瀣露气文十四骯骯髒體胖[illegible]莽[illegible]直項皃蚢海貝也或从魚魧迒獸迒一曰道也伉闕人名

䟘伸足也行行行剛皃忼慢也慷慷慨憤意吭頏咽也或从頁[illegible][illegible][illegible]飛皃通作頏○汻

許朗切姓也文三酐苦酒[illegible]鹵地名○忼慷口朗切慨也或从康文十一骯骯髒體胖[illegible]車軌也

㝩㝩㝗室虛[illegible]大意嵻嵻㟧山虛伉闕人名[illegible][illegible]咳聲也[illegible]㝩㝗空也吭頏咽也或从頁

○[illegible]舉朗切博雅竟也一曰越魏謂陌爲[illegible]文十一[illegible]說文直項莽[illegible]皃从亢从夊夊倨也[illegible][illegible]鹽澤或从酉犺犺狼

獸名䟘伸足也一曰擊踝亢頏咽也或从頁[illegible]甖屬沆漭沆水大皃魧海貝[illegible]廣也○坱倚朗

切塵也文十七泱滃泱水皃炴氣皃岟山形[illegible]白雲皃映映[illegible]不明眏目不明[illegible]竹名一曰竹無色醠

䣐濁酒或作醠通作盎盎㼜盆也或作㼜姎女人自偁我也胦脖胦臍也咉咉咽悲也駚駚[illegible]馬皃

鞅鞅軋遠相映皃○[illegible][illegible][illegible]語朗切馬驚謂之[illegible]或作[illegible][illegible]文四[illegible][illegible][illegible]車名一曰竹輿○晄熿爌

爌煌戶廣切說文明也或作熿爌爌煌文十九銧闕人名櫎横說文所以几器一曰所以帷屏風之屬一曰兵欄或省

幌帷也榥書牀擴博雅擊也一曰推行滉潢瀇洸水深廣皃或作潢瀇洸潢一曰染紙也愰愰懩

心不定鎤鍾聲[illegible]艸名[illegible]目大皃○慌㤺怳恍芒荒虎晃切昏也或作㤺怳恍芒荒文十九

謊博雅怒也一曰夢言[illegible]目不明[illegible][illegible]目疾[illegible]朦[illegible]月不明爌寬明皃[illegible]艸名[illegible]廣也鎤

鍾聲[illegible][illegible]旱熱也或省[illegible]大意汻姓也喤喤呷衆也○[illegible]苦晃切大意文八懭懭悢意不得也[illegible]

車名儣儣悢不平爌[illegible][illegible]明皃或作[illegible][illegible]壙[illegible]也一曰壙埌原野迥皃○廣古晃切說文殿之大屋一曰闊也文八

[illegible]解也鄺姓也出廬江[illegible]大意[illegible][illegible][illegible]鳳類晄[illegible]光皃或作[illegible][illegible]張大皃○[illegible]鄔晃切大水一

曰水名在譙郡文三瀇水深廣皃[illegible]池不流

三十八○梗古杏切說文山枌榆有束莢可爲蕪荑也一曰略也荒也文十九哽說文語爲舌所介也鯁說文魚骨

三十八 ○梗 古杏切說文山枌榆有朿莢可爲蕪夷也一曰略也 文十九 哽 說文語爲舌所介也 鯁 說文魚骨

也骾腰說文食骨留咽中也或从肉綆統說文汲井綆也或从亢㾘病也埂說文秦謂阬爲埂一曰堤

封謂之埂莄艸莖㥷恨也峺硬礙也或从石郠說文琅邪莒邑引春秋傳取郠挭挭攪也或作挭

暅日光䨣雲皃蝢蟲名○杏下梗切說文果也文七莕荇䓷艸名說文菨餘也或作荇䓷悻

很也胻脛也鋞溫器○卝胡猛切金玉未成器也文三澋洄澋水回旋皃撔橫也○𥈡苦礦切驚而舉目視

一曰好皃文三窒空也奣明也○磺礦鑛銂𥐕卝古猛切說文銅鐵樸石也或作礦鑛銂𥐕卝文十二

懭悍也穬說文芒粟也一曰稻未舂𪍿𪎈麥也或从黃通作穬獷說文犬獷獷不可附也漁陽有獷平縣奣明也

○𥉈烏猛切說文惑也文六瀅水淨皃奣明也𠹷犬聲泂洄澋水回旋皃𤚽犢也一曰牛鳴○

𤛱於杏切吳人謂犢曰𤛱文二哽咽聲○猛母梗切說文健犬文八䁅䁅瞢有餘視一曰恚皃艋博雅舴艋小舟

蜢蟒蚱蜢蝗類或作蟒皿字林器也盎博雅盎窗窒也鯭胡鯭蝦蟒屬通作蜢○鮩白猛切蟲名文六

䗪蠯蜯蚌說文蚌也脩爲蠯圜爲蠇或从蚌亦作蜯蚌或書作螷蛃博雅白魚也○朾都冷切擊也文一

○炳百猛切明也文四倂詐偽浜浦名郱邑名○冷魯打切說文寒也亦姓文二𦋺𦋺罜罔也○

盯張梗切瞪盯直視文五𥾯絲繩緊直皃𠐓海岱之人謂勇悍曰𠐓掟張也𤿍皮膚急皃○瑒丈梗切玉

名長尺二寸祭宗廟有瓚文五挺直也瞠直視皃𨓎廣雅盡也町町畽除地爲墠也○檸拏梗切木名皮可爲藥文一

○丙補永切說文位南方萬物成炳然陰气初起陽气將虧从一入冂一者陽也文十七炳昞說文明也或从日亦書作昺怲說文

憂也引詩憂心怲怲蛃蟲名蟫也邴說文宋下邑又姓鮩說文蚌也秉說文禾束也从又持禾或曰粟十六斛爲秉亦姓

抦柄棅持也或作柄棅通作秉苪艸名寎病爾雅三月爲寎一曰穴也或作病眪目明也鈵

博雅固也陃闕人名宋有鮑陃○皿眉永切說文飯食之用器也象形文六盟說文北方謂地空因以爲土穴爲盟戶䮋

騜馯馬名盟盟信也坎用牲加書或作盟鄳縣名○眚省所景切說文視也从眉省从中徐鉉曰中通識也一

曰簡也古作𡲾隸作省文二十一眚說文目病生翳也一曰過也𤸪𩪏瘦謂之𤸪或从骨媘說文減也𤭛

博雅𤭛甂瓶也渻渻爾雅水出其前渻丘一曰水名一曰少減亦姓或作渻㮐說文木參交以支炊箄者也𧍧蟲也

生育也周時四乳生八子陸德明說㗂眚言也⿱宀省閣紫署或从門通作省箵竹名⿰骨省長皃
⿰彳省直皃⿰省阝地名○景影於境切物之陰影也葛洪始作影或書作澋文十三璟玉光也璄或从竟⿰食景
⿰食英⿰食竟餌也飽也或从英从竟摬博雅擊也炴火光⿸广英廡也⿰英見視皃⿰英刂削也刺也⿵風景風高皃
○景舉影切說文光也又姓文十一璥說文玉也竟境界也或作境儆擏說文戒也引春秋傳儆宮或作
擏警說文戒也謂言戒憼說文敬也檠所以正弓漢蘇武能檠弓弩或書作檠蟼蛙屬⿰敬頁警枕擎除也
○永𣱵于憬切說文長也象水巠理之長引詩江之永矣古作𣱵文三栐木名○憬俱永切說文覺寤也引詩憬彼
淮夷一曰遠行皃文十六璟玉光烱炎爇也暻明也囧說文窻牖麗廔闓明象形⿱竹囧竹名⿱囧火火名
一曰日光古作煛臩驚走也炅耿光也或作耿⿰耳呂闕人名周有伯䀠通作囧煛臩獷惡皃⿰氵囧澋水泂
皃或从景⿱竹囧竹名○澋呼猛切水皃文一○憬孔永切遠行皃詩憬彼淮夷沇重讀文一○令盧景切官署之長文一
○侊苦杏切健力也何休曰辦護侊健者為里正文五摼擊鍾也硻剛也轚車聲揁琴聲○⿱艹兄況永

大四千七小六又十四 集韻上聲六 二十七 廣

切艸名文二泂滄也○䏶側杏切足跟筋也文一○⿰氵靚差梗切楚人謂冷曰⿰氵靚文一○⿰言幸虎梗切瞋語文一
三十九○耿古幸切說文耳箸頰也从耳炷省杜林說光也从光聖省文五⿱耿心憂也⿰壴欠博雅芋其莖謂之⿰壴欠
⿰耳皆⿰耳皆豎有餘視邢地名通作耿○㚔幸下耿切說文吉而免凶也从屰从夭夭死之事故死謂之不㚔隸作幸文
七倖婞儌倖也一曰親也或从女通作幸⿰幸瓦博雅⿰幸瓦甈瓶也悻悻悻很怒也⿰言幸言很也○黽䵴
毋耿切蟲名說文鼃黽也从它象形籀作䵴文六鼆蟲名博雅冥也一曰句鼆魯邑名鄳說文江夏縣䱸魚名䁅䁅盯直視
○皏普幸切博雅白也文三頩色也絣氏人布名○⿰亻並並蒲幸切偕也或省文六併博雅安也⿰魚並
鮩魚名或从并蛢木蟲名似蛤○迸⿺辶𢆶必幸切行急也文四絣急絙也一曰布名一曰無文綺⿰礻并急也
四十○靜疾郢切說文審也一曰謀也文十九竫說文亭安也靖說文立竫也一曰細皃又姓婧竦立皃一
曰有才也妌博雅絜也一曰靜也⿰青彡冏說文清節也古作冏眳睜字林眳睜不悅視也或从青阱穽
⿱井水陷也或从穴从水猙獸名飛狐也一說章義山有獸如赤豹一角音若擊石名曰猙⿱竹靜⿱竹靖竹名或从靖靚

召也一曰女容徐靚清絜也埩說文治也䪫䫀䪫好皃○省𡔤箵息井切察也審也古作𡔤箵文十一㥩

惺悟也或从星眚過也楮俎几渻說文少減也一曰水出丘前謂之渻丘一曰水名亦姓箵笭箵也睲

視也篂箳篂車蔽簹○請此靜切說文謁也文三晴晵晴不悅皃蜻蟲名蟬屬○井丼子郢切說

文八家一井象構韓形●罋之象古者伯益初作井或省文三邢邢陘趙魏地山嶮名○整之郢切說文齊也文一○徎丈井切徑

也文五𣽌浧通流也或省裎深衣涇寒也○逞呈丑郢切說文通也楚謂疾行爲逞引春秋傳何所不逞一曰快

也或作呈文十四徎說文徑行也騁騁說文直馳也古作騁裎說文袒也方言襌衣趙魏之閒無裦者謂之裎侱役也

悜憂也浧塗泥也鞓說文鞓具也睲睲睲照視也壬善也梬木名似柹晴昭晴不悅皃○領

里郢切說文項也文八嶺阾阪也或从阜柃木名袊方言袒飾謂之直袊謂婦人初嫁上服一曰繞袊謂之帬江東通言下裳曰袊

蘏艸名軨車有和鈴也徎徑也○頸經郢切說文頭莖也文二烴烴𤒆焦皃○痙巨井切說文彊急也文二涇

博雅寒也○廮於郢切說文安止也鉅鹿有廮陶縣文八郻說文地名巊巊嵥山皃癭賏𩕋說文頸瘤也或从肉

从頁𢾖怒氣炔火光○顈渠領切博雅怒也文一○郢郢以井切說文故楚都在南郡江陵北十里或省文五梬

說文棗也似柹浧泥滓𣽊說文清水也一曰窊也○潁庚頃切說文水出潁川陽城乾山東入淮豫州浸文五穎木名一曰錐柄一曰

刀環一曰瞥枕穎說文禾末也引詩禾穎穟穟筓深池也窐清水一曰窊也○頩騂頩切足几也文二顈竟也

○頃𩒺犬潁切田百畝也亦从田文十一檾蘔苘艸名說文枲屬引詩衣錦檾衣或作蘔苘擷博雅竟也

高廎說文小堂也或作廎烓博雅明也一曰小竈傾俄傾少選也通作頃隕庂也○餅䴵必郢切說文麪餈也

或从麥文十六鉼金鈑一曰鬴也併并合和也或省屏說文屏蔽也庰帡說文蔽也一曰覆也或从巾庰一曰厠也

箳箳篂車蔽簹綆輪箄也辟除也莊子至信辟金𪘽𪘽齒偋偋倴窊皃𨁈並足立皃琕玉名𤗚

麪也○眳毋井切眳睛不悅文三慏慏悜意不盡一曰憂也溟溟冷寒皃○頸九領切項也文一○最

知領切日出皃文一○怳吁請切博雅狂也文二○馻如穎切馬行疾皃文一

四十一○迥户茗切說文遠也文十四泂洞說文滄也或从冫炯光也𧆄熒遹艸名或省

亦从迥絅禪也琄佩玉皃爾雅琄琄刺素食也郭璞讀皛博雅白也冂同空也或作同𣖕桐枰牀也或省
○詗火迥切知處告言也文四泂北燕謂禁曰泂熲火光鶪鶪鶪鳥名似鷺色蒼○褧犬迥切說文檾也引
詩衣錦褧衣示反古或作顈文十苘茼蒷枲屬或作茼蒷冋空也絅絧禪也或从帛通作褧耿耿耿小明
也扃扃扃明察也○熲畎迥切說文火光也文十七炅杳說文見也或作杳鎣治器从金爲之烱耿
說文光也或作耿泂洞寒謂之泂或从水餇飽也瞏目驚也𧉘蟲名似蛙畎田畝也書岱畎絲枲劉昌宗讀
扃扃扃明察也憬覺悟也頴足几也一曰篋也䁝大目也皛明也○濙濴滎瀅烏迥
切汫濙小水皃或从螢亦作滎瀅文七䇫說文深池也熒瑩德熒疑惑也或从玉○婞悻倖下頂切說文很也引
楚詞鯀婞直或作悻倖文十七悻說文恨也脛胻也緈小皃緈說文直也涬溟涬自然氣也涬涬泠寒也鋞溫器
鯹魚名睜瞋目皃鈃字林似小鍾而長頸瓶博雅瓶甑瓶也巠地名在趙剄斷首也誙誙誙趣死皃○
謦棄挺切說文欬也文十三漀說文側出泉也蹩一足行也綮結處也莊子肯綮汫汫涏小水皃㷫火乾出也

大字卅一小字九百　集韻上聲六　二十九　劉忠

涇泉也磬擊石聲罄盡也高廎小堂也或作廎䆖空也涇寒也○剄古頂切斷首也文四烴
焦臭𡿦坙水脈也或作坙○巊烟頂切巊嫇山高皃文三瀴瀴涬水皃𩴫巫厭○䁝研領切直視也文三娗
婞娗小皃烴焦臭也○鞞補鼎切說文刀室也文一○頩艵普迥切美皃楚辭玉色頩以䝜顏一曰斂容或从色文二○竝
並部迥切說文併也隷作並文六併並立也鮩白魚蜱廰蟨屬或作廰○茗榠母迥切茶晚取者或作榠
十七嫇嫇奵自持皃一曰面平皃瞑瞑睲目不明姳好也酩佲偵酩酊醉甚或作佲偵通作茗溟凍皃
溟溟涬水皃慏意不盡也眳日暗也眳目小也一曰眳睛不悅也嫇巊嫇山高皃冥暗也詩維塵冥冥蓂
蓂莢瑞艸冥䳌青黑皃○醒銑挺切醉寤也文五惺悟也箵笭箵車笭也𤎡焦也箵笭箵車蔽當○頂
𩠐𩕰顁都挺切說文顛也或作𩠐亦从鼎从定文二十四奵嫇奵自持一曰面平耵耵聹耳垢鼎鼑說文三足
兩耳和五味之寶器也昔禹收九牧之金鑄鼎荆山之下入山林川澤螭魅蝄蜽莫能逢之以協承天休易卦巽木於下者爲鼎象析木以炊也古作鼑薡
薡董艸名似蒲而細酊仃酩酊醉甚或作仃濎𣸣濎濘水皃或作𣸣艼艸名葶葶藶艸名能毒魚出熊耳山

靪博雅補也一曰補履　屡博雅重也一曰倚也展也　𣔳打廣雅揨也或从丁　釘鍊餅金　町田畝謂之町　嵿山名

墏墏壇蟻封　打擊也　○𡈼他頂切說文善也從人士士事也一曰象物出地挺生也文二十六　珽珵說文大圭長二尺抒上終葵首

或作理　徎侱徑也或作侱　脡脯朐也　麣鹿走皃　侹說文長皃一曰著地一曰代也勇也　頲頊說文俠頭

頲也或省　町圢墏說文田踐處曰町或从土亦作墏　𤰝田器也　苧艸名爾雅蒴苧熒　蜓蟲也　罜罜罟小網

閮門上關　挺直也　鋌廣雅鐵鏷鋌也　葶葶藶毒艸　竻竹函也　鯅全魚腊　霆迅雷　濎濎濙水皃

㝎空也　○挺待鼎切說文拔也一曰直持也一曰縣名在膠東文三十三　艇小船　鋌說文銅鐵樸也　梃說文一枚也一曰木名

娗說文女出病也博雅娗娗容也方言嫇娗優也　霆爾雅疾雷為霆霓　莛艸莖　𥟵𥟵稻麥皃或从定　涏汫涏小水

一曰波直皃　蜓蟲名爾雅蜓蚞螇螰一名蟪蛄　誔博雅誕也一曰欺慢　訂說文平議也　脡脯朐也　筳屋梁也通作莛

侹徑侹直也　靪博雅補也　𨑧博雅盡也　町鉤町縣名　汀汀濘泥淖也　閮門外啓謂之閮　烶火皃　眐目出

也　○䈂朗鼎切䉹䈂籯也通作笭文八　罜罜罟小網　泠水皃　冷滰冷寒也　𨝊𨟻縣名在長沙或从零　笭

大十四　小七七

集韻上聲六　三十　陳庚

笭箐也　怜懔也　○𩕄𩕄乃挺切項顛也或从寧文十　聹耵聹耳垢　濘水皃溪謂之濘濘一曰淖也　𧕯𧔈

蟲名似蛙或从寧　檸木名　薴艸名博雅薴藶蓍荏蘇也一曰葶藶毒艸　鑏吳俗謂刀柄入處為鑏　䉹䉹䈂籯也

○汫徂醒切汫濙水皃文一　○婧績䈂切女有才也文一　○䴇呼頂切鵏䴇水鳥文一

四十二　○抍承撜拯丞舊說無切語音蒸之上聲說文上舉也引易抍馬壯吉或作承撜拯丞文九

䡠軺車後登也或書作𨍯　烝氣上達皃　𤻲骨𤻲病也　承縣名　○㥠尺拯切㥠悚愚皃文一　○庱丑拯切亭名在

吳文四　崚踜止也或从足　㥄㥠㥄愚皃　○殑其拯切殑殊欲死皃文二　𣴎𣴎洸寒皃　○殊色拯切殑殊欲死皃

文二　洸𣴎洸寒皃　○憑皮殑切㦗也文一　○耳仍拯切耳也關中河東語文一　○齒稱拯切齒也河東云文一　○澄

直拯切水清不流文一

四十三　○等得肯切說文齊簡也从竹从寺寺官曹之等平也文二　𤾣白也　○倗𠜰普等切博雅不也从朋聲一曰从勿从人文四　鄘崩國名穆天子傳西征至于鄘人或作崩一曰縣名在扶風鄉名在鄠　○肯肎肎苦等切說

文骨間肉肎肎箸也从肉从冎省一曰骨無肉也或作肯古作肎文三○能奴等切夷人語多也文四𧌒螚蜂類或从虫⿰口能多言

也○倰朗等切倰䔲長皃文一○䔲他等切倰䔲長皃文一○䁬子等切水田文一○蹸徒等切蹸蹸行皃文

一○倗步等切山名文一○瞢忙肯切目不明文三懵惛也懵懵宣癡也○宣孤等切懵宣癡也文二

緪急也一曰大索

四十四○有ナ云九切說文不宜有也引春秋傳曰有蝕之一曰質也古作ナ又姓文十九右左右手也佑

佐佑助也友䢴𦐔說文同志爲友从二又相交友也古作䢴𦐔囿苑也有盍器也或从右侑勸也栯木名

食之不妒⿰有鳥鳥名似雉黝黑色博雅黝堊塗也䒴艸名疚顫疚頭搖皃𦼮艸名从苗四禾也𦪞兼有也鮪魚名

似鱣長鼻○㱙朽許九切說文腐也或从木文六疞病也殠臭也𪌖乾飯屑也扝㧀扝力也○糗𥻘

去久切說文熬米麥也或作𥻘又姓文六餿食物爛也𤛎牛無子搝搝揭手舉䤛䤛䤛面醜○九已有切說文陽之變也象

其屈曲究盡之形文九久說文从後灸之象人兩脛後有距也引周禮久諸牆以觀其橈玖說文石之次玉黑者引詩貽我佩玖灸說文灼也

⿰女久說文女字也⿱久隹姓也韭韮說文菜名一種而久者故謂之韭象形在一之上一地也或从艸镹長也通作久○

臼巨九切說文舂也古者掘地爲臼其後穿木石象形中米也文二十二舅說文母之兄弟爲舅妻之父爲外舅或書作舅齨說文老人齒如

臼也一曰馬八歲齒臼也𦥷說文舂糗也䓘字林艸名咎說文災也从人从各各者相違也倃諮說文毀也或从言㤼

說文怨仇也𣏩木名欦蹴鼻也𤸯病也鵂雊鳥名百舌也一曰烏鵂鳥也或从隹亦書作鵂麔說文麋牝也

𦱈艸名爾雅蔨鹿藿其實莥鮗魚名說文當互也䭜馬八歲謂之駬通作齨茍艸名䲯魚名柩匶棺也籀作

匶○懮於九切舒遲皃詩曰舒懮受兮文十五䱂魚名𦃃𦃃輮也𡥅𡥅妞欲死𤈦昒𤈦忸欲乾或从日

䤛䤛䤛面醜嚘痛聲欭歐也一曰𧽊鼻𣏁舂糗也𩸊魚也𨚒邑名黝博雅黝堊塗也一曰黑色䬀緒風

謂之䬀䬀𥜦福也○酉丣以九切說文就也八月黍成可爲酎酒象古文酉之形古文酉从卯卯爲春門萬物已出酉爲秋門萬物已入一閉

門象也文三十六牖說文穿壁以木爲交窻也譚長以爲甫上日也非戶也牖所以見日羑說文進善也文王拘羑里在蕩陰𠫱誘

誘䛻說文相訹呼也或作誘誘䛻卣脩中尊也說文脩𣢑歔說文吉意也或省槱楢栖積木燎之

集韻上聲十六

三十一

四十四 ○ 有

文三十六

也或作楢栖通作𤻮 庮 說文久屋朽木引周禮牛夜鳴則庮謂臭如朽木 𡗝 貧病也 輶 輕車也 琇璓 玉名或从莠

𤪌 遺玉也 蕕 臭艸 莠 說文禾粟下生艸 蓾莤 艸名或作茜 蜏 蟲名晨生暮死 攸 懸危皃春秋傳湫乎攸乎

一曰所也徐邈讀 𠐚 疾皃莊子𠐚然而往也 媨 醜也 滺 水名 𧣈 收弋繫具 梄 木名 囮 鳥媒也 戭 長盾 盇

小甌 熘 火也 ○缶缻 俯九切說文瓦器所以盛酒漿秦人鼓之以節謌象形或从瓦文二十 缹炰 火熟之也或作炰亦書作

𤈦 否 說文不也一曰口不許也又國名通作不 不 說文鳥飛上翔不下來也从一一猶天也象形 釰 說文刀握也一曰以刃擿取物 鴀

鳥名鴀鳩也 𤾓 白也 痞 病也 婄 博雅敗也 妚𡛼 好皃或作𡛼一曰女儀也 芣衃 艸名苢芣莪也或作衃

秠 字林黑黍一稃二米 婄 廣雅醜也 𧍕 蠶臥 𨚾 地名 槫 艸木莖葉舒布皃 ○紑 孚不切衣絜鮮也文一 ○

婦 扶缶切說文服也从女持帚灑埽也文二十二 負 說文恃也从人守貝有所恃也一曰受貸不償一曰荷也通作偩 偩 依也禮樂偩天地之

情 𨸏阜𨽍 說文大陸山無石者象形或作𨸏阜古作𨽍 𨺨隖 說文兩𨸏之閒也从二𨸏隸作隖 駂

隯 馬盛也一曰益也或作隯也 𤆹 熾盛 𪀆 鴀雀鴞也通作負 𧒂 蟲名爾雅𧒂蠜或从蚰通作阜 蝜

 星叔陳賡

𧋍 蝚蝜蟲名或从帚 萯 艸名說文王萯也 菩 艸名 服 牝服車箱也 草 草鬱香艸 瓬 瓦器 ○滫糔

息有切溲也或作糔文八 醙 酒白謂之醙 䌱綇 絆前兩足亦从酉 䬸 饋也 謏訹 博雅誘也或作訹 ○酒

子酉切說文就也所以就人性之善惡一曰造也吉凶所造也古者儀狄作酒醪禹嘗之而美遂疏儀狄杜康作秫酒或書作𨠬酋文二 愀 愀然變色皃

○湫 在九切隘下也一曰著也春秋傳墊隘湫底服虔讀文四 愀 變色皃 逎 近也 媨 博雅好也 ○𦣻𩠐首

始九切說文頭也古文作𦣻巛象髮謂之鬊鬊即巛也或作首文十 手𠂿 說文拳也象形古作𠂿 守㝊 說文守官也从宀从寸寺

府之事者从寸寸法度也或作㝊 艏 舟也 䭫 產而不醽謂之䭫或曰人初產子 狩 冬獵也 ○帚箒 止酉切說文糞

也从又持巾埽冂內古者少康初作箕帚秫酒少康杜康也葬長垣或从竹文七 鯞 爾雅鱖鯞小魚也 𣇢睭 明也或作睭 扫 執也

獸名 ○醜𩴸媿𩲸 齒九切說文可惡也或作𩴸古作媿𩲸又姓文六 䔷 瑞艸菝䓊也 㪢 棄也計也 ○

受𠬸 是酉切說文相付也一曰承也从受舟省古作𠬸文十五 授 說文予也 綬 說文韍維也 𡔷 說文久也

又姓古作𡔷 𨞾濤 水名在蜀或从水 鄋𨞾 鄉名或作𨞾 㥅 闕人名漢有武安侯㥅 涭 水皃 檮 棺也

犩夂彖 璹玉名 ○厹蹂忍九切說文獸足蹂地也象形九聲引爾雅貍貛貉醜其足蹞其跡厹篆从足柔文十九 鍒說文
復也 煣揉楺說文屈申木也或作揉楺 輮說文車軔也 渘說文水吏也一曰温也 葇䅪菜名似蘇或从揉
也 鞣柔皮也 腬䫾面色和柔皃或从頁 粈轢禾也 𤝔犬狎也一曰習也 杻木名意也 粈䊆雜飯也或
作粈 䩼朝也 ○溲溲叜所九切說文浸沃也或作溲古作叜文十一 𨃵走皃 颼颼颼風皃 餿饋也
醙白酒也 傁春獵名國語傁于農隙 叟叜限也或从叜 溲白滓 ○⿰革取⿰革芻楚九切束也或从芻文四
謅謅謅眾聲 棷博雅棷柴也 ○棷趣側九切夜戒守有所擊也或作趣文六 掫𢪍持也或从州 樷艸木
生子聚 ⿰虫取蟲名 ○棸士九切聚也文三 鯫魚名 聚姓也 ○肘䏔陟柳切說文臂節也从肉从寸寸手寸口也或
作䏔通作⿰月壽文八 疛疛𤺺⿰月壽說文小腹病或从肘从壽从肉 扭手轉也一曰按也 蚪海蟲名似人肘形 ○
丑敕九切說文紐也十二月萬物動用事象手之形時加丑亦舉手時也文七 杽杻𨥦鈕說文械也或从丑亦作鈕鈕 莥
說文鹿藿之實名也 吜聲也 ○紂䩛文九切說文馬緧也或从革紂一曰商辛別號文九 鮦鮦陽縣屬汝南 葤艸苞

大䋷二帀二尔七丁卄 集韻上聲六 三十三 劉忠

物也或从壽 籌竹易根而死 棸姓也 ⿰月壽髀後曰⿰月壽一曰小腹病 懤愁毒也 ○柳桺力九切說文小楊也一曰
聚也一曰柳谷日入處隸省文三十二 畱䍚罶𦋺說文曲梁寡婦之笱魚所留也或省亦作𦋺 珋石也 茆艸名說文鳧葵
也引詩言采其茆 ⿱竹劉竹名 懰嬼劉好也或作嬼劉通作嬼 綹說文緯十縷爲綹一曰絲十爲綸綸倍爲綹 熮火皃一曰
灼爛 鉚美金 瀏說文流清皃引詩瀏其清矣 𩗬颾緒風謂之𩗬或从劉 䶉竹鼠 蟉蚴蟉龍皃 蓼糾蓼相引
皃 畱昴星別名 蔞僂𨏊輶喪車飾也或作僂𨏊輶通作柳 𡣎婺婦 藰艸名葦蓾也 刘割也 泖
水皃 蓤蕍蓤艸名 餾餌也 抑捫也 ○紐女九切說文系也一曰結而可解文三十 沑溼也 忸愧也 鈕扭
說文印鼻也或从玉亦姓 䏔說文食肉也 䵒黏也 杻案也 𦝫習也 狃說文犬性驕也 𨚮說文地名 𦭝蓃
莥爾雅藶鹿藿其實莥或从肚从紐 粈飷說文雜飯也或从食 秈禾㲾弱者 杻木名爾雅杻檍似棣細葉材中車輞
厹蹂獸跡或作蹂 輮車軔也 揉撓之也 狃說文刺也 閩門關也 洒水名在汝南 妞姓也高麗有之
𤇾炂炤欲乾 𣧘𣧘𣧘欲死 𥝑䅽𥝑穖也 衵衣耎也 ○憹悟匹九切小怒也或从吾文六 紑不鮮衣也

秠 字林黑黍一稃二米 欧 唾聲一曰唾而不受 霿 霧也 ○ 䶊 牛久切齒差也文一 ○ 柚 羊受切枳屬文一

四十五 ○ 𠪋厚垕㫗𣆪 很口切說文山陵之厚也从𣆪从厂又姓隸作厚古作垕㫗𣆪文十四 𣆪 說文厚也从反亯徐鍇曰亯者進上也以進上之具反之於下則厚也

后 說文繼體君也象人之形施令以告四方故厂之从一口發號者君后也又姓

茩 艸名說文薢茩也 姤 遇也 後逡 說文遲也从彳幺夊者後也徐鍇曰幺猶繯躓之也亦姓古从辵 郈 說文東平無鹽鄉又姓

呴 欲吐也一曰怒聲 詬訽 謑詬恥也或作訽 ○ 吼呴吽吼 許后切說文厚怒聲或作呴吽吼文十一 㸴

𤙖 郭璞曰青州呼犢為㸴或从后 蚼𧊔 蟲名蚍蜉也或从后 呺 風聲莊子萬竅怒呺徐邈讀 竘 方言治也謂治作也 犼

北方獸名似犬食人 ○ 口 去厚切說文人所以言食也象形又姓文十一 𧦝叩 說文扣也如求婦先𧦝叕之一曰𧦝𧦝矣也或作叩 扣

說文牽馬也 敂 擊也通作扣 𨚗 說文京兆藍田鄉 釦 說文金飾器口 𤘫𤙖 牛名或从后 竘 博雅治也一曰巧也健也

劶 劶劶用力皃 ○ 耇耈 舉后切說文老人面凍黎若垢或不省文二十一 茩 薢茩艸名 詬訽 辱也或作訽 苟茍 說文艸也

敂 扣也 玽 說文石之次玉者 岣 岣嶁山顛一曰岣嶁衡山名 垢坸 說文濁也一曰塵也或作坸

一曰且也或作茍又姓 鮈 鯷鮈魚名 笱罟 說文曲竹捕魚笱也或作罟 狗 說文孔子曰狗叩也叩气吠以守 豿 熊虎子也

漢律捕虎購錢三其豿半之是也通作狗 𣏸枸 木名博雅𣏸乳苦杞也或作枸 蚼 說文北方有蚼犬食人 㸴 青州呼犢子曰㸴 ○

毆歐摳 於口切說文捶擊物也或从攴从手文十六 歐嘔咯欲峪欨 說文吐也或作嘔咯欲峪欨

䙔 博雅袼䙔次衣也一曰編枲頭衣 塸 沙堆 㠋 山名在陽羨 𤘫𤛓 牛名或作𤛓 甌 西甌駱越別種 饇 飽也

○ 偶 語口切說文桐人也一曰儷也通作耦文十一 耦 說文耒廣五寸為伐二伐為耦 髃腢 說文肩前也或从肉 㼴 博雅缶也

㛂 女字 蕅藕𦽹 說文芙蕖根或从耦从偶 喁 于喁聲相和也 湡 水名在襄國 ○ 𢭆掊 彼口切說

文衣上攴也或作掊文四 掊 擊也 𢭆 掊擻振也 ○ 剖 普后切說文判也文十五 婄 婄㜥婦人肥皃一曰不才 䯽 髮短皃

剖 菩 艸名或省 蔀 暗也小也一曰星名 鴀雒 雀名或从隹 否 相與語唾而不受 棓 何休曰凡無高下有絕加

躡板曰棓齊人語 箁篰 簝籥笈也一曰竹牘或作篰 醅 醉飽 蓓 華葉布也 掊 擊也 ○ 部 薄口切說文天水狄部一曰統

也界也又姓文十八 培㟝垺附 博雅培塿冢也或作㟝垺附 腤 豕肉醬 麰餢 麰餢餅也或从食 䫙

說文甋也鐠廣雅瓶也蔀艸名廣雅蘚蔀魚薺也一曰術家推閏法爲蔀首篰劄說文篰篓也或作劄犃廣雅猳犃雄也

一曰牛短首謂之犃娝女字剖剖劯用力箁竹葉也鴿鴿鳩鳥名○母莫後切說文牧也从女象褱子形一曰象乳子也文

三十七拇脢說文將指也或从肉踇足將指踇行皃畮畝說文六尺爲步步百爲晦或作畝畆[illegible]

說文艸也某槑說文酸果也古作槑厶且字也通作某鵡䧢鸚鵡能言鳥也或从隹牳䭾說文畜父也或从馬

㹯颯㹯獸名茻衆艸也莽南昌謂犬善逐菟艸中爲莽姆女師也坶地名在朝歌㥂愛也砪雲母藥石

䒷艸名𦋐䍙罞罔也或从每从母牳牛名𧰨豕名戊中宮也茂美也𤮻瓦器𦏶

六月羔菽艸聚生皃𤼽麥也痗病也牟中牟地名○叜𡨋傻叟傁蘇后切說文老也或作叜

傻叟傁文三十瞍瞍說文無目也或作瞍𦗟𦕹字林聰也或作𦕹嗾嗖嘥使犬聲或作嗖嘥謏誘辭

廋隱也擻抖擻舉索物也橾車轂中曰橾通作藪藪棷蓃說文大澤也九州之藪楊州具區荊州雲夢豫州甫田青州孟

諸沇州大野雝州弦圃幽州奚養冀州楊紆并州昭餘祁是也或作棷亦从叟籔篓箱說文炊薁也或从叜亦作箱駷

騪搖馬銜走或从叜搜搜搜動皃通作叟藪爾雅蔌謂之藪廋𠪚隈也或从叟𨻰阬也礟石也○

趣趨此苟切促也周禮有趣馬官或作趨文九取獲也棷廣雅柴也鯫小也采捋取也掫擊也娵

美女𠞘析薪也○𧺆走子口切說文趨也从夭止者屈也隸省文二○鯫仕垢切說文白魚也一曰小也文五棷柴也

𧲳𧲓小牡豕名或省齺齱齺齵齒不正○斗當口切說文十升也象形有柄俗作㪷非是文九枓枓拱一曰勺也

抖抖擻舉索物也阧陡峻立也或从走襡衣袖𡷃山名𪍿麥麩蚪科蚪蟲名通作斗○妵他口

切說文女字也文十七黈黃色通作斢紏絲黃色蘣廣雅好也斢字林斢斢奪取物鈄姓也敨展也𪎌

𪎭餖𪎭餖餅屬或作𪎭餖鳿𨿞說文鳥也似鳧黑色或从隹㹷犬名黃身黑首𩶉鮭說文魚名或从主

𧦝誘也䛒言悉也○[illegible]鋀豆徒口切說文酒器也从金豆象器形或从豆亦省文九揄引也襡博雅袖也

一曰短衣蕍艸名一曰編艸坐具𪀐水鳥名缿說文受錢器也古以瓦今以竹鈄姓也○塿𡛣朗口切培塿小阜或

省文十六嶁山顛也𨻰羸𨻰縣名在蒼梧郡甊博雅甂甊瓶也𪌖𪌖餿餅也司徒儀吏死祭用𪌖𪌖三十千寶說漊

溝也謱嘍方言謰謱拏也或从口⿰禾婁耬耕畦謂之⿰禾婁或从耒簍竹器數多也⿰石婁石也蔞艸名⿰婁斗
字林斞⿰婁斗拏取物○㝅𣪊𣪊𣪊⿱壳乳⿱小乳吼乃后切乳子也或作㝅𣪊𣪊⿱壳乳乳吼文十二豰虎乳也通作𣪊
𣪊⿰氵乳說文水也一曰酒也陾眾也檽構檽木名可染紫⿰女乳婄⿰女乳女肥皃○⿰魚取才垢切小也亦姓文一齣
初口切樂音美也文一
四十六○黝幽於糾切說文微青黑色或作幽文十八怮怮怮憂也㰜說文⿰足幽皐也⿰幽欠⿰幼欠
愁也或省⿰目幼靜也岰山曲皃泑說文澤在昆崘下山海經有泑山蓐收居之⿰火幼⿰火幼烟欲乾⿰風幼⿰風幼⿰風幼風聲⿰魚幼說文魚名
蚴⿰虫幽蟲名博雅蚴蜕土蜂一曰蚴蟉龍皃或从幽呦鹿鳴拗抑也⿰田幼黑壤也蟉蟉虯盤曲皃○糾糺吉酉
切說文繩三合也或作糺文七赳說文輕勁有才力也朻木也爾雅朻者聊鬮鬮取也⿰女盡竦身也觓角皃春秋傳展觓角
○虬蟉渠糺切龍皃或从翏文二○⿰女盡苦糺切竦身也文一
四十七○寑𡪢⿱宀帚寢寑七稔切說文卧也籒作𡪢古作⿱宀帚寢寑文二十⿱宀⿰禾目視皃沁
水名⿰冫𠬶⿰冫𠬶⿰冫𠬶寒皃⿱穴⿰爿帚寢說文病卧也或作寢鋟爪刻也公羊傳鋟其板⿰酉朁甘也一曰歃酒⿱艹𡨋⿱艹𠬶說文覆也或省
⿰木寑梫木名說文桂也或省祲妖氣⿱㑴貝⿱㑴頁醴陋也或从貝⿰朁頁懦劣也通作⿱㑴頁○罧槮斯荏切積柴水中以
取魚或作槮文四伈伈博雅伈伈懼也沁水名○⿰酉朁子朕切說文歃酒也文九⿰食朁博雅美也一曰味小甘也通作⿰月朁⿰月朁唇病
⿰氵寑⿰氵𡨋涇也漸也或作⿰氵𡨋⿸疒朁痛疾⿱宀⿰冫帚地名孫叔敖邑鋟博雅錐也⿰朁頁⿰朁頁⿰朁頁頭長○蕈慈荏切說文桑葽也文一
○宷審式荏切說文悉也知宷諦也或作審亦姓文二十九諗說文深諫也引春秋傳辛伯諗周桓公瞫覾說文深視也一
曰下視一曰竊見亦姓或从見眹視也⿰牛冘牛名⿰女覃貪頊也一曰志下淰魚駭皃一曰濁也鯰魚名一曰大魚爲⿱艹魚小魚爲鯰
鱿魚子蕈桑葽⿰木審棯木名或从念⿱山覃山名沈邥國名亦姓或从邑槮罧積柴水中以取魚或
作罧腍飪也⿱艹審艸名⿰氵覃⿰氵覃淪水流漂疾訦燕代謂信曰訦覃耜利皃⿰氵念⿰氵念濅水動皃椹桑子⿱今番
侵火也⿰魚矢大魚嬸俗謂叔母曰嬸○瀋沈昌枕切說文汁也引春秋傳猶拾瀋或作沈文四瞫闞人名春秋晉有狼
瞫⿰甚頁弱也○枕章荏切說文卧所薦首者文四⿰冘頁說文項枕也⿰朁頁頭俯皃一曰頭銳而長也⿰冘魚魚首骨○甚

四十六 黝

四十七 寑

集韻上聲六

邕篹食荏切說文尤安樂也从甘甘匹耦一曰遇也古作邕篹文十甚𩫖椹說文桑實也或从桑从木訦信也

抌方言推也魿魚名魷魚子○飪餁䏕肗恁腍忍甚切說文大孰也或作餁䏕肗恁古作腍通

作飪文二十稔說文穀孰也引春秋傳鮮不五稔恁說文下齎也徐鍇曰心所齎卑下也一曰思也或書作恁衽說文衣袊也荏

單席通作衽荏艸名說文桂荏蘇栠說文弱皃或書作栣棯荅木名爾雅還味棯棗或从艸𢆉說文撥也从干入二為𢆉

言稍甚也任佞也妊說文孕也秹禾弱也潭水動皃腍飫也○瘁所錦切寒病文七潹㵾潹

寒皃或从罧瘮駭恐皃槮積柴水中以取魚顡顛顡懦弱皃沁水名出上黨○墋堪楚錦切土也一曰不

清澄或从甚文十一磣物雜砂也醦博雅醋也趻趻踔行皃瘮駭恐皃諗陰言譏之也慘毒也駸馬聚皃

𩜰食有沙蔘覆也○頪顩士痒切醜皃或作頾文五魿鯵小魚羹也或从岑岑山厓○稟筆錦

切說文賜穀也文三𤺺疾也葚艸名藤也○品丕錦切說文衆庶也又姓文一○㪛陟甚切說文下擊上也一曰禁也文十

黮博雅黮黕私也一曰深黑抌戡說文深擊也一說楚謂搏曰抌或作戡黕汚也戡揕刺也或从手磯用石

  許椿

掭也劶用力也眈出頭視皃○踸趻踔丑甚切說文踸踔行無常皃或作趻踔文十顲顲頛懦劣皃戡

多皃闖馬出門皃鍖鍖鉎聲不進皃嵁山高皃湛湛潭水皃眈出頭視也通作闖○朕䑣直稔切我也古

作朕文十一滕水流皃黱黑色鰧魚名似鯫螣龍類能興雲霧栚榺說文槌之橫也關西謂之栚或作榺舦

瓜青膚曰舦橝屋梠前也黮汚也一曰黯黮果實壞皃○㐭𢈈𥢶廩稟力錦切說文穀所振入宗廟粢

盛倉黃㐭而取之故謂之㐭从入回象屋形中有戶牖古作𢈈𥢶或作廩稟文十九㨆方言殺也一曰自關而西謂打為㨆懍懼皃或作㐭古

通作㐭稟𥟴𦵵說文蒿屬或从稟檁屋上橫木凜澟說文寒也或从稟顲作色謂之顲一曰顲顲不飽一曰瘠也

鄙說文地名𤺺寒病𥦷說文侵火也𥢶博雅臀也澟淒清也○拰尼凜切搦也一曰拰搦調弓皃文三鈓

鈓鍖鈓聲不進皃或省○蕈潭湛以荏切蕈潭水動也或作潭湛文五栖鄉名在濟北𥦷火盛也○廞

廞羲錦切興也喪禮有廞車服或从今文三禁寒皃○坅丘甚切坅坎也文九䞍趛低首疾趨謂之趛或从今顉

顉頤曲上曰顉或从金顩頷顩頷醜皃或从金昑明也扲持物○錦居飲切說文襄邑織文文二礏石名

○噤渠飲切寒閉口也文九 唫說文口急也 顉廣雅怒也一曰顉顉憹劣 澿寒皃 欶闕人名漢有劉欶 蕵艸名

懔勤也 䜌絮中小繭 蕈菌生木上 ○㱃飲衾飠衾淦畬於錦切說文歠也或从食古作衾飠衾淦畬文十一

潣水大至也 喑喑醷聚氣皃李軌說 黔黔黮果實壞皃 嵚欽山岑皃 ○鈐牛錦切羨也文十一 懔

嬐仰頭也或作嬐 趛說文低頭疾行也 廞興也 岑崖岸也莊子未離於岑 廞大屋 顩顩顩醜皃 碞𡾋碞山皃

埁坑也 吟噤吟頷頤皃 ○㟗集荏切㟗碞山皃文一 ○呫當審切呫也文一 ○顅側踸切頭俯皃文一

四十八 ○感古禫切說文動人心也文十九 䃭箵箱類或作箵 礷以石蓋也一曰石篋 灨贛

灨水名出南康或作贑贛 顑蓋也 灝豆瀋也 噉鳥聲 鹹 醎鹹味或从酉 䤠說文酒味淫也 贛

竷說文艸也一曰薏苡通作贛 篸竹名有毛 䲗鰔魚名䱂也一曰黃頰或省 㺂犬名 鱤魚名 ○顑虎感切說文飯不飽面黃起行也文七

㖣博雅可也 歁也 䨔气盛 翶飛皃 壈土起 㯣木裂 趝走皃 ○坎埳埳苦感切說文陷也或作埳埳文十九

竷說文繇也舞也樂有章从章从夅从夂引詩竷竷舞我一曰擊也通作坎 鉿連鍰也 歁說文食不滿也 惂

大一マサカ/小ネマ七十ラ

長沙李[illegible]

說文憂困也 轗軻轗車行不平也一曰不得志或从感 歁歁然不自滿足意一曰欲得也 壏壏坷不平 顑顑首動也或

省 䗁䵑屬 澉濁也 臽小阱 㕁陵岸 竷扻擊也或作扻 ○頷戶感切說文面黃也文三十四 頷

啗 䫲說文顄也或作啗䫲 顄頤也 嬸含怒也 嵁山皃 撼撼說文搖也或从感 幩巾擁耳也

或从衣 肣牛腹也 淊說文泥水淊淊也一曰繅絲湯 憾恨也 感或省 爁灼爛 涵水澤多也 𣐈說文木垂華實

从木马 𢎘吗說文嘾也艸木之華未發圅然象形或从口 菡說文菡蕳也通作欿 㰹飲欲得也或作欿 䓟

蓞開華也或作蓞 髫髮短皃 蜭蟲名說文毛蠹也 㰹聲也 圅䐄口上曰臄口下曰圅或从肉 壏壈坷不平

邯邯淡豐盛意顏師古說 泔滿也漢書秬鬯泔淡一曰泔淡水皃 虦虎聲 ○晻鄔感切說文不明也或作暗 晻暗

黯說文果實黯黯黑也文三十一 盦覆蓋也 黤黯深黑色或从音 灂說文水大至也 腤腤䐑調飪也 罯

揞說文覆也 揞博雅藏也 唵博雅唅唵也一曰手進食 晻䅖稖種田也或从耒从禾 奄蹇也 韽鍾病聲周禮微聲韽

戚褒讀 闇隱晦皃禮記君子之道闇然而日章 厭沈溺意莊子其厭也如緘 喑喑醷聚氣皃 黬釜底黑也 淦濁也 䨄

四十八　○感　古禫切　說文動人心也　文十九

○䜾　徂感切　文一

[illegible]

䕼䕼香也 蘫繁茂也 醅醅醶感容 霮雲氣盛也 媕含怒也 埯阬也 揜掩覆取也或从奄 穽窒也○

顉頷頷五感切說文低頭也引春秋傳迎于門顉之而已或作頷頷文八 媕說文含怒也一曰難知也引詩碩大且媕 嵁

䃭嵁䃭山形或从石 僋儑也 噉可也○ 糂糣糝⿰食參桑感切說文以米和羹也一曰粒也籒从朁古从參或作

⿰食參文十五 嘇哈嘇物在口中也 傪⿰彳參顉傪動也或从彳 ⿰米罙蜜漬瓜實曰⿰米罙 探撼探搖也 椮聚柴木水中魚寒入其裹

因以簿圍捕之 ⿰參頁顉⿰參頁首動皃 參雜也儀禮有參侯 ⿰目參視也 倸儳倸無儀 濶水皃○ 慘七感切說文毒也文十四

憯⿸疒朁說文痛也一曰憯也或从疒 噆銜也莊子蟁蝱噆膚 朁說文曾也引詩朁不畏明通作憯噆 黲說文淺青黑也一曰敗也

傪好皃 ⿰女參⿰女朁說文婪也或作⿰女朁 懆說文愁不申也通作慘 ⿰酉參醅⿰酉參感容 參參譚眾多皃 縿淺紺繒也 ⿰參頁顉⿰參頁

搖頭○ 寁子感切說文居之速也文十 昝姓也出蜀郡 撍揝毛動也或从昝 簪疌速也易朋盍簪王肅讀或作疌

坽坎也 噆銜也 澘地濕也 喒喒喒味也○ 歜⿱艹歜徂感切昌蒲葅也或从艸文九 ⿰朁刂刺也 ⿰足朁弓張

弦也或从寁 鐕綴物也 慚顉慚望也 鰺⿰魚今博雅鰲也或省○ 黕都感切說文滓垢也文二十一 眈虎視也

大百三十四小六百九十一 集韻上聲六 三十九 長沙陳岳

抌⿰冘攴刺也擊也或从攴 衴緣也 紞說文冕冠塞耳者 ⿰多冘多也 ⿰冘瓦博雅瓶也一曰瓦屬 丼投物井中聲又姓

⿰火殳博雅禁也 減水淹 ⿰口冘鳥聲 ⿱艹冘艸名知母也 馾馬名 髧髮垂皃 ⿱竹竷⿱竹贛竹名或作⿱竹贛 頕顉頕

醜也 ⿱竹匧⿸匚贛⿰木贛篋類或作⿸匚贛⿰木贛○ 襑他感切說文衣博大文十三 肒說文肉汁滓也 監盜醓酷

說文血醢也禮有監醢以牛脯梁麴鹽酒也或作盜醓酷 ⿰忄尋⿰忄尋忑心不寧 ⿰言尋⿰言尋誠言不定 嗿說文聲也引詩有嗿其饁 黮說文桑葚

之黑 ⿺走冘⿺走冘踔行進退也 僋無撿也 圅吐舌皃一曰竹皮○ 禫徒感切除服祭名文三十二 髧⿰亻冘髮垂皃詩

髧彼兩髦 譚大也亦姓 ⿱覃貝市先入直也 ⿰米覃說文糜和也 醰說文厚味也 嘾說文含深也 ⿰覃見⿰見冘徐視謂之

⿰覃見或作眈 偡齊也 窞說文坎中小坎也引易入于坎窞一曰旁入也 突竈突 黮廣雅黑也 ⿱雨湛⿱雨甚⿰甚雲

⿱雨湛⿱雨甚繁雲或省亦作⿰甚雲 藺萏蓞歁說文芙蓉華未發為菡藺已發為芙蓉或作萏蓞歁 ⿰木臽木名 湛水名周禮其浸潁湛

李軌讀 鐔劍口也 歁博雅歁歁盛也 ⿱穴覃曲內也太玄雷推欿⿱穴覃 ⿰石昝再舂 啿啿啿豐厚皃 撢揩也 ⿰女覃女

名 憾不安也 蕈桑萸○ 壈墂盧感切坎壈不平一曰失志也或作壈通作轗文十九 燣焦黃色 顲說文

面顪頷皃轗輡轗車不進澰清也漬也漤汁也浨字林藏梨汁也醂藏柹也一曰桃葅[illegible]方言殺也一曰打也懍
廩坎懍困極或作廩婪好皃醶酢醬㑣[illegible]悲愁皃一說林木君子所感故宋玉曰入林悲心或从心婪惏不謹
也一曰卜人詐告吉凶也或作惏窞王肅曰坎底也○湳乃感切說文西河美稷保東北水文十四腩䤄[illegible]腤也或从酉亦
作腩揇搦也䎃博雅䎃䎃羽也䊖糁茹也[illegible]艸長弱皃[illegible]竹弱淰博雅濁也喃嚌喃嘗也[illegible]夷名唐有
喃國罱取魚具[illegible]醬也○縿幓所感切旌旗正幅或以巾文四[illegible]灊瀹水漂疾皃[illegible]小雨也○[illegible]莫坎
切首飾文一○䎃如坎切鳥翼下細毛文一
四十九○𠭥𢽚𣪊敢古覽切說文進也从𠬪古聲古作𢽚𣪊隸作敢文八橄橄欖果名澉澉饏
味淡[illegible]大竹䃭䃭窞模未賦大食國酋長名○㘎嚂虎覽切聲也或从監文九[illegible]壏堅土也或作壏亦書作墭
[illegible]嵌溪谷皃或作嵌闞聲大皃从門[illegible]犬聲厰山險○澉胡敢切澹澉洒滌也文一○厰口敢切嶮也文
四[illegible]䖘屬[illegible]鹹醓苦味[illegible]飢也○黬烏敢切博雅忘也文一○[illegible]母敢切鄉名在河東文二[illegible]吳人謂哺子曰

餡○饏子敢切澉饏無味也文三[illegible]繒末緶也[illegible]醬也○槧在敢切斷木爲槧文七鏨博雅鑴謂之鏨或書作鏩
[illegible][illegible]山皃或作[illegible][illegible]縮朒皃太玄曹[illegible]跙[illegible]鳥名鶚也[illegible]擊也○厰五敢切山石皃文二[illegible]仰首皃一曰好
皃○[illegible]賞敢切水皃一曰果勇也文二[illegible]芟也○膽覩敢切說文連肝之府文八礵石礵藥石黵說文大污也
鸇[illegible]鳥名羽青黃色或从隹[illegible][illegible]蔭也薝薝棘艸名甔罌屬○[illegible]菼吐敢切說文雚之初生一曰薍一曰
騅或作菼文十一[illegible]緂[illegible]說文帛騅色引詩毳衣如緂或作緂[illegible]毯毹席[illegible]毳衣謂之毯[illegible]魚罔黵黑也
倓安也荀子倓然見管仲之能厰山險○啖啗噉餤嚪杜覽切說文噍啖也或作啗噉餤嚪文二十
澹水皃[illegible]醲也淡說文薄味也憺倓說文安也或从炎[illegible]竹名[illegible]嚳窔謂之窔[illegible]舌出也
賧蠻夷贖罪貨通作倓[illegible]無味也濫竹聲倓[illegible]博雅靜也或从剡[illegible][illegible]艸名爾雅薍也或从剡○
覽魯敢切說文觀也又姓文十擥攬擥說文撮持也或从覽从監欖[illegible]橄欖果名或从啗爁火焚也
灠濫漬果也一曰染也或作濫[illegible]泛齊行酒也

灡[illegible] 淶也或作灆清果也一曰[illegible]酒也又齊[illegible]

覽 也亦姓又文十[illegible]說文[illegible]从見[illegible]

[illegible]

[illegible]

五十○琰以冉切說文璧上起美色一曰圭之銳上者文二十五剡掞說文銳利也或从手⿰足炎⿰足炎⿰足炎疾行也
⿰炎舌說文火光也餤說文火行微餤餤也灩淊淡瀲灩水滿皃或从臽亦作淡⿰氵閻博雅汙也⿰糸閻方言未續也
睒暫視皃⿸厂炎閻謂之⿸厂炎⿸厂炎⿰甘炎味甘也棪木名說文遬其也子似柰赤而可食⿰木遷廣雅箋⿰木遷謂之篴篨通作棪⿰禾炎
覃利耜也或作覃⿱炎炎火華也閻地名春秋傳戰于鬼閻錟利刃也史記錟戈在後⿰木閻方言秦晉續折木謂之⿰木閻夵
本廣末狹謂之夵⿰犭炎山海經女和月母之北有國曰⿰犭炎氏⿸疒剡傷也○⿰舌炎習琰切火行微也文四剡利也棪木名膠可和香
為蘇合銛臿屬○脥謙琰切腹下也文三惔恨也唊猴頰藏食曰唊○黶黬於琰切說文中黑也或作黬文十五
黶面黑子一曰酺也壓塞也魘驚夢擪持也⿰衤厭禳也通作厭⿰禾厭禾稻不實也酓說文酒味苦也⿰女酓
女有心嬐嬐也檿說文山桑也引詩其檿其柘通作酓或書作⿰木厭⿸厭夂瘍痂也⿸厭甲蟹腹下甲⿸厭欠閉藏也一曰厭次地名⿰黑敢志也
○湛牒琰切博雅湛湛露也文一○⿰糸僉纖琰切挺細也文二彡羌姓漢有西羌彡姐○醶七漸切博雅酢也文六塹
坑也憸⿱冊心詖也一曰憸憸多意也或作⿱冊心⿰貝僉市先入直若今贉錢⿺辶僉⿺辶僉⿺辶僉欲近皃○⿰食敷⿰食敷子冉切嘗食也一曰

大二三十小七五十五 集韻上聲六 四十一 劉忠

⿰食敷儳味醶或从漸文六⿱漸酉色弱也⿰月韱羹也⿰目韱笑皃悏悏悏恨也○漸疾染切說文水名出丹陽黟南蠻中東入海一曰漬也文
十八槧說文牘樸也⿺走斬走進也或書作趲螹蟲名說文螹離也一曰魚名鏨博雅鐫謂之鏨錟長矛也餤火行微也
磛磛礹石皃嚵小食蔪⿱艹槧說文艸相蔪苞引書艸木蔪苞或从槧⿱漸酉說文闕一曰醬也一曰⿱漸酉儳味醶剡銳上也
鏩鏩鏩銳進皃𧅠麥秀皃⿱斬手取也摲除也嶄嶄巖山高皃或書作嶃○閃失冉切說文闚頭門中也从人在門
中文十六⿰氵閃⿰氵閻流皃或作⿰氵閻睒瞜說文暫視也或作瞜通作睒覢說文暫見也引公羊傳覢然公子陽生譣諂言
夾說文盜竊褱物也从亦有所持俗謂蔽人俾夾是也⿰扌閃疾動皃陜說文弘農陜也古虢國王季之子所封也㛺說文不媚前卻㛺㛺
也⿰夾攴⿰夾殳⿰夾攴舉手皃⿰目夾⿰目夾⿰目夾目皃淰⿰氵淰淰躍踊逸也或作⿰氵淰負狄姓○颭職琰切風動物也文四⿺走詹前趨
皃⿰夾殳⿰夾殳⿰夾攴舉手皃拈拈也○剡時染切縣名在會稽文三⿰魚詹竹名黮黑甚也○冄冉而琰切說文毛
冄冄也象形或作冉又姓文十五姌⿰女冉說文姌弱長皃或作⿰女冉䎃羽皃染說文以繒染為色又姓⿱雨染濡也⿰女染
媣說文諟也一曰媞也或省⿱售酉說文闕一曰⿰食敷⿱售酉味醶一曰醬也⿰金冉鐵也呥噍皃苒艸盛皃一曰姓苒柔木一䇇竹弱

集韻 上聲六

四十一

五十琰

枏木名梅也○摲山檢切博雅次也文一○讇諂丑琰切說文諛也或省文四䚲視也嫍嫍陵女志前却○

斂力冉切說文收也文十三鐮食撿說文拱也䋬方言所以縣㰂關西謂之䋬一曰索也嬚女字瀲澰瀲灎

水溢皃或省隒里也爾雅重甗隒溓廣雅清也一曰冰其薄者溓蘞薟艸名說文白蘞也或从斂獫犬長喙者獫

字林角三觠為獫○險嶮虛檢切說文阻難也或从山文十譣憸廣雅詖也或从心羷爾雅羊角三觠羷嬐

性不端良謂之嬐姱𪌆胡被謂之𪌆獫周謂北夷曰獫狁通作玁獫說文長喙犬一曰黑犬黃頭㰹晻㰹蔭也○顩頗

頋丘檢切顩頗面不平也或作頗頇文十一鼸鼠屬說文鼢也嵰山高皃歉意不㩗也隒厓也闔門屋𩞁食未

欦笑也笶竹小○檢居奄切說文書署也一曰俗謂燕尾今世書卷衮下或作歧文九撿儉束也或作儉瞼巨險

頰也瞼眼瞼也嶮字林山形似重甑黬黔黑也或作黔贛贑榆縣名在東海○儉險佥巨險

切說文約也或作險古作佥文四芡說文雞頭也○奄衣檢切說文覆也大有餘也一曰欠也同也从大从申申展也亦姓文三十七弇

穿寈說文蓋也古作穿寈掩說文斂也小上曰掩一曰撫也止也揜說文自關以東謂取曰揜一曰覆也罨覆車罔蓭

旌旗皃罨罕也所以罔魚裺說文褗謂之裺㢂屋檐耑版也闇閹閽宮中守門者通作奄㛪說文女有心㛪㛪也𨛫

說文周公所誅𨛫國在魯㤿𢘬博雅愛也或作𢘬晻日無光也渰䨄說文雲雨皃或作䨄𥔂山巖也𪐝果實

黑壞也媕誣挐也崦嵢崦嵫山名日所入或从弇淹水涯也一曰繅絲出緒也掩博雅掩檻㯓也痷瘗也黤黤黮

香氣通作唵菴菴藹木茂皃埯土覆謂之埯媕美也黤黑青也𨀞跛也或从足裺襛也掩

禾不實𨧷推也○嚵士冉切博雅嘗也文二瀺瀺灂魚鳥沈浮皃○醶初斂切酢皃或作醦文三𦢊羹美也

○黲止染切黑汙也文三𢿀𢿀㩶舉手皃𧽪𧽪𧽪疾趨

五十一○忝𢗀他點切說文辱也古作𢗀文十三栖鄉名在濟北蛇丘餂取也孟子是以言餂之

銛博雅鉆謂之銛一曰取也𤊹火炎㮇栝木杖也一曰炊竈木或作栝㤿弱也嫥婦人細長皃婖女字

阽亭名在京兆丙無光也○點多忝切說文小黑也文八耆廣雅老也一說老人面如黑點玷玉瑕鉆器缺刮

刀缺一曰斫也蒧闕人名夫子弟子曾蒧通作點怗博雅靜也一曰服也姑女字○簟徒點切竹席文八𥳑𥳑灩水滿

五十一○忝

也扂非戶牡或作非橝屋梠驔說文驪馬黃脊也穇穇穇穀名蕈桑葜○稴盧忝切稻不黏也文

四溓恬靖皃一曰小水瓤廣雅瓜其子謂之瓤溓薄冰○淰乃玷切說文濁也文九嬋說文下志貪頑也阩

亭名在鄭姌纖細也黚點黚艸書勢箝竹弱皃湆消也鮎劣也痁病也○䭑下忝切鼠名文三

嗛鳥獸頰貯食獫犬吠也○歉鎌苦簟切食不飽也一曰不足皃或作鎌通作嗛文六慊恨也一曰不滿也一曰愜也

嗛鳥獸頰貯食賺馬腹旁謙安靜皃禮記此之謂自謙○嬚兼忝切婡身皃文二鐮博雅所也○憯此忝切痛

也文一○僭子忝切差也文一○濂變玷切濂溓輕薄皃文二帴帣幅也○㚇𡚁美忝切腦蓋也或作𡚁文二

五十二○儼嚴曮嚴魚檢切說文昂頭一曰好皃一曰恭也或作嚴曮古作嚴文二十一顩說文

䶢皃曮日躔謂之曮𡢲含怒也嬐敏疾也㚷婦人齊整皃通作嬐广說文因广為屋象對刺高屋之形隒說文

崖皃嶮高峻皃仚伬俺仚癡也或作伬礹嶄礹山石皃噞說文噞喁魚口上見也鰜魚名㡾峻也孍

好皃㢛厓岸危也顩頷顩面不平○貶貶辨悲檢切說文損也或作貶辨文六㝃說文傾覆也从寸臼之寸人

手也从巢省杜林說以為貶損之貶疺病也窆葬下棺也○拈章貶切服也文一○欦口广切笑也文二顩顩顩醜也

○埯倚广切土覆也文一○險希埯切峻也文一

五十三○𨂢下斬切豆半生也文十糮博雅塗也減耗也禮以減為文㦓博雅健也㺌說文大吠

不止也一曰兩犬爭㖌喊怒聲或省䡅車聲㽉乾瓦屋也𦨼船名○㰹火斬切笑也文三喊聲也諴

廣雅警也○槏㢛櫼口減切說文戶也一曰牖邊柱謂之槏或作㢛櫼文十三橄橄欖果名顩醜皃㦖惐意不

安也或从人歁不飽也䁍博雅陷也撖拄也箴竹名嵰山皃䡅車聲○減咸古斬切說文損

也或作咸又姓一曰減水名出番條山文十一椷篋也箴𥳍竹名或省鹼鹻𪉖鹹也或从兼亦作𪉖葴艸名寒蔣

也鰔魚名糮博雅塗也○黯乙減切說文深黑也文十一闇隱暗也禮君子之道闇然日章𢿭弃也黶黶

闕人名晉有欒黶或作黶黬直聚氣也䤃䤃醦戚容黤青黑皃𪑾忘也獥小犬吠也黭黭黯果實黑壞○摻

所斬切博雅取也一曰執也文十一𢷬博雅次也一曰取也摲芟也禮有摲而播醦博雅酢也㺑說文犬容頭進也一曰賊也

鬖亂髮也 嗲㖡嗲物在口中 蔘草初生者 毿擊也 險艱難也 藮芟艸木也 ○䶢楚減切臉䶢以豬腸肩椒乔醢鹽為之文二 醶說文酢也 ○斬阻減切說文截也从車从斤斬法車裂也文二 蔪刈也 ○瀺士減切瀺灂水聲文十

嶃巉嶄高峻皃或从毚亦作嶄 劖斷也 嚵小歠也 儳不齊也 壧北名 攙除也 摲取也 ○僴丑減切癡也文三 趻踸趻踔行不進皃或作踸 ○湛湛丈減切說文沒也一曰湛水豫州浸又姓古作湛文五

偡齊進謂之偡一曰偡偡齊整也 㾮方言病也 黮黭黮果實黑皃 ○臉兩減切臉䶢羹屬文三 溓味薄也 醶醶䶢酢味

○囨女減切縮取物也文六 𣐈木名 菌艸名 罳罯魚網或从衘 淰水無波也 ○𪓔竹減切鹹也文一

○顲五減切面長皃文一

五十四○檻戶黤切說文櫳也一曰圈文二十 艦戰船四方施板以禦矢狀如牢 𤢂犬獟謂之𤢂 轞車聲

䡲載囚車通作檻 橄姓也出河內 濫𣻿爾雅濫泉正出郭璞曰正出涌出也或作𣻿通作檻 鑑陶器 壏堅土也或作㙳 檻𩦺博雅𥓋檻䡲也或作𩦺 㔋利也 𤬚懸水皃 𩦰馬走皃 𢠸健也 㖡㖡嗲物在口中也

菡荶水艸或作荇 ○闞虎檻切虎聲文三 㺂說文小犬吠南陽新亭有㺂鄉 𪘯開皃 ○淰奴檻切水無波也文一 ○黤倚檻切說文青黑也文二 黭說文黭者忘而息也 ○醶楚檻切博雅酢也文一 ○𪟍山檻切取也文二

獑獑獑犬聲 ○𡾋仕檻切高皃文二 獑犬齧皃 ○摻素檻切方言細也文一

五十五○范父錽切說文艸也又姓文八 𧎬蟲名博雅𧏱蠭也通作范 笵說文法也从竹竹簡書也古法有竹刑通作 軓軋說文車軾前也引周禮立當前軓或作軋 範說文範軷也一曰模也 犯犯說文侵也古作犯 ○𤸷丑犯切癡也文二 𨅳跧足望也 ○槏胡犯切𥁉也文一 ○𨥁峯范切器也文二 𨀲候也 ○𦛱補范切𦛱河東謂腫為𦛱文三 貶損也 𧟰博雅棄也 ○錽鋄亡范切馬首飾或从乏文五 𠬸說文𠂔蓋也象皮包覆𠂔下有兩臂而夂在下 䮕閻行也 鋑刃也 ○凵口犯切說文張口也象形文二 扣取也 ○冂五犯切凵冂張口文一 ○拑极范切脅持也文一

集韻卷之六

五福五代堂古稀天子寶

八徵耄念之寶

太上皇帝之寶